Conducir un tráiler

Literatura Mondadori

Conducir un tráiler

ROGELIO GUEDEA

MONDADORI

México, 2008

Conducir un tráiler

Primera edición: junio, 2008

D. R. © 2007, Rogelio Guedea

Derechos exclusivos de edición en español reservados
para todo el mundo:

D. R. © 2007, Random House Mondadori, S. A. de C.V.
        Av. Homero No. 544, Col. Chapultepec Morales,
        Del. Miguel Hidalgo, C. P. 11570, México, D. F.

www.randomhousemondadori.com.mx

Comentarios sobre la edición y contenido de este libro a:
literaria@randomhousemondadori.com.mx

ISBN 978-970-810-234-6

Impreso en México / *Printed in Mexico*

Para Blanca, Bruno y Brunella,
siempre

Por esto todo hombre quiere tanto dejar en su propia casa un hermano que pueda vengarlo.

HOMERO

Los dioses de la venganza obran en silencio.

SCHILLER

Mi padre tuvo que vender el rancho El Mezquite porque fue ahí donde mataron a uno de los hijos del compadre Rincón, quien había llegado ese día a comprarle dos vacas pintas. Serían las dos de la tarde de un día seco. Rinconcillo llegó acompañado de un muchacho enclenque que lo ayudaba en la carnicería. Venían del rastro e iban de regreso al Ojo de Agua. El muchacho enclenque declaró que pidió a Rinconcillo que llegaran de una vez al rancho de don Bulmaro por las bestias. ¿Pa' qué venir mañana otra vez, Rinconcillo?, dijo el muchacho enclenque. Declaró que Rinconcillo se negó tres veces argumentando que tenía prisa por hacer el corte de caja en la carnicería y pagarle a los mozos del Agua Zarca, un rancho que tenían allá por el rumbo de El Pelillo, pero al final aceptó más por la insistencia mía, declaró el muchacho enclenque, que por gusto. De haber sabido, ni abro la boca. Así llegaron en la camioneta doble rodado al rancho de mi padre. Rinconcillo se bajó fajándose la pistola en la parte de atrás del pantalón. Atrás de él, en todo momento, el muchacho enclenque que le servía de mandadero. Cuando estaban negociando la compra de las dos vacas pintas, declaró mi padre que llegaron dos hombres en una motocicleta. Uno de ellos, el que la conducía, tenía la cabeza rapada. El otro llevaba bigote y tenía el pelo pintado de rubio oxigenado, lo que contrastaba con su piel morena y sus ojos negros. Pero no podría dar más señas. Los dos hombres se detuvieron frente a mi padre y le preguntaron que si no conocía a Ramiro Rincón. Mi padre lo señaló con la vista y después dijo: es este vale. El cabeza rapada sacó de entre sus ropas una pistola calibre 45 y, sin terciar más palabras, le metió dos plomazos a Rinconcillo en la cabeza. Luego, arrancaron en la motocicleta a toda velocidad y huyeron dejando un polvaderón de miedo en el camino. Mi padre no supo qué hacer con el cuerpo de Rinconcillo tirado con el rostro bocabajo, aplastado en la tierra, bajo el solazo de las dos de la tarde. El muchacho enclenque que le servía a Rinconcillo de mandadero quedó paralizado de susto, sin moverse ni un milímetro, las manos le siguieron temblando mucho tiempo después. Los asesinos escaparon por la huerta de don Chava Ventura y ya no hubo Dios que diera con ellos. Uno de los testigos declaró que es gente de Michoacán y que vinieron nomás a matar a Rinconcillo por deudas de ganado, aunque en realidad se dice que el asunto tiene claras luces de tratarse de un ajuste de cuentas relacionado con el narcotráfico. Sea lo que fuere, por respeto a la memoria de su ahijado y a la humanidad de su compadre Sebastián Rincón, mi padre vendió el rancho poco después de las aguas. Al tiempo compró el que ahora tiene, que está pasando Loma de Juárez, enfrente del rancho del padre de Hortensia, mi primera mujer. Después del asesinato, a mi padre se le pandeó el sentimiento por más de dos semanas porque, hasta que no vendió y removió todas sus pertenencias de El Mezquite, no se dio cuenta del amor que le tenía a esas tierras. Ahí construyeron mis padres la primera casa que tuvieron poco después de casarse. O sería mejor decir: cuando mi padre se robó a mi madre. Casi le cuesta el pescuezo. El tío Rafael, primo de mi madre, los encontró cuando iban a trote en el caballo alazán por la esquina del Campo Dos. Como iba borracho perdido el tío Rafael, figuró, como era de suponer, que a su prima Leonor, mi madre, se la estaba volando un jijo de la chingada. Por eso sacó el machete y asestó dos machetazos al bulto de jinete que era mi padre, quien dio el testerazo y los libró de pura suerte.

Pero ahí también nacieron mis hermanos Felipe, Bulmaro, Leticia y Berta. De las tierras uno se encariña como de los hijos, decía mi padre. Yo todavía recuerdo mis idas al bordo con la prima Clara. Íbamos camino al Zacatal, a una casita de madera donde mi padre guardaba sillas de montar, carabinas y fustes para las bestias. Pasandito el Zacatal había un bordo y un poco más allá se hacía un claro entre el breñal. La prima Clara y yo nos echábamos sobre la tierra apisonada. Tirábamos piedras al bordo intentado hacer ondas en el agua. Ni cuenta me daba cuando la prima Clara estaba montada sobre mí, subiendo y bajando con una calentura tremenda, y yo respondiendo como es debido. Nunca dijimos, que yo recuerde, esto es malo o esto es bueno. En realidad sólo nos preocupábamos porque nadie nos viera. Cualquier ruido, por pequeño que fuera, nos hacía levantarnos de un brinco, aunque luego volvíamos a lo nuestro, cuando nos dábamos cuenta de que se trataba de una pisada de algún animal. La prima Clara tenía tetas grandes y macizas como los cuastecomates. Yo las sorbía intentando extraer de ellas miel o rompope. Los muchachos del barrio de San José, donde vivía la prima Clara, decían que era bien puta, pero en realidad yo nunca lo creí al pie de la letra, porque aunque la prima Clara era de pasiones fuertes, siempre fue muy discreta y se daba su lugar.

Cuando mi padre vendió el rancho El Mezquite las cosas cambiaron. La prima Clara se echó un novio con cara de pendejo, pero con mucho dinero, y se volvió más recatada, aunque no dejaba de seguirme con la misma mirada lujuriosa de siempre. Alguna vez por poco nos salimos del redil, si no es por el hijo de Yolanda, quien entró al *cuartito* justo cuando yo me bajaba la bragueta y ella se subía la falda. Te dije, baboso, gritó la prima Clara, quien, sospechosamente, después de echarse novio rico, pasó de ser puta a ser nada más muchacha alegre. Pocos días después habría muerto mi padre y una semana después de su entierro empezaron los problemas. Quien heredó el rancho de Loma de Juárez fue mi hermano Bulmaro, el más pudiente de la familia. Había trabajado en Guadalajara como superintendente de Petróleos Mexicanos y había conseguido reunir una fortuna considerable. Los fines de semana venía a Colima y hacía una gran fiesta. Mataba un chivo o una vaca, ponía la tomadera y la musiquera, y no había quién no estuviera invitado a la pachanga, hasta la amiga de la amiga de fulana y perengana se apersonaban al guateque. Tenía mucho dinero mi hermano, no cabe duda, tanto que un día le dijo Julia, su mujer: ni los hijos de nuestros hijos se lo podrán acabar, Bulito. Así de grandes eran los paquetes de billetes que mi hermano, de regreso de la oficina, dejaba caer como dos piedras sobre la cama king-size. Los paquetes de billetes cubrían lo largo y ancho del cobertor de pluma de ganso. ¿Entonces sí vamos a Las Vegas, Bulito?, preguntaba Julia. Sí, decía mi hermano Bulmaro. Mua.

Por eso cuando se jubiló y empezó a hacerse cargo del rancho de Loma de Juárez, todos creímos que aquello sería piernita de pollo. Pero nada: luego empezaron los problemas. Un día que mi hermano y Huicho el ranchero estaban sentados viendo beber a las bestias, se dieron cuenta que entre las vacas había una manchada que no habían visto antes. Mi hermano Bulmaro preguntó a Huicho el ranchero que de quién chingados era esa vaca y Huicho el ranchero le dijo que de don Cecilio Alcaraz, dueño del rancho Los Tres Ocotes. Cuando Huicho el ranchero agregó que no era la primera vez que se pasaba ganado de don Cecilio Alcaraz al rancho, mi hermano Bulmaro se atemperó. Ah, ¿no es la primera vez? Huicho el ranchero dijo que no y que incluso, pa' evitar más problemas, no había querido decirle que en realidad los que se acabaron la pastura de la Lomita habían sido los animales de don Cecilio. Le dije que se habían salido por la puerta falsa, don Bulmaro, pero la mera verdad es que fueron las bestias de don Cecilio, quien anda diciendo que de la Lomita pa' allá es de su propiedad. ¿Eso anda diciendo el viejo cabrón? Eso mesmo, don Bulmaro. Mi hermano ha sido siempre de armas tomar. Hasta con leña mojada se le puede enervar la sangre de coraje. Es igual que mi padre, aunque mi padre no lo quiera reconocer. Un día estábamos todos en la casa de Constitución jugando dominó. Desde que enfermó mi padre, todas las tardes venían mis hermanos a jugar. Mientras los hombres nos sentábamos a jugar dominó, las mujeres guaguareaban en el corredor y los hijos iban al Parque Corregidora, frente a la casa, a jugar futbol o a treparse a las palmeras pandeadas. Alguno de esos días en que jugábamos dominó, mi padre intentó persuadir a mis hermanos para ser menos alebrestados, porque andar con bravuconadas sólo dejaba embarrados de mierda los botines. Sean más tranquilos, muchachos, aconsejaba, que nada les cuesta. En realidad se lo estaba diciendo a Pedro para que lo entendiera Juan, es decir, Bulmaro mi hermano, quien hacía unos días le había rajado la cabeza a Chuy Rodríguez de un batazo, afuera de la peluquería del Sofoco. Como Bulmaro mi hermano supo que el sermón iba dirigido a él, intentó sacar del redil la conversación diciéndole a mi padre que el otro día Mauro, del rancho El Caporal, le había confesado que había visto pasar a mi padre en la camioneta como a doscientos kilómetros por hora. Me dijo que pasaste zumbando como una vieja adúltera, apá. ¿Quién fue el que te dijo eso?, preguntó mi padre incorporándose. Empezaba a fruncir el entrecejo. Mauro, el mayoral de El Caporal. Mi hermano revolvía las fichas sin levantar la mirada. Hablaba haciendo creer que las palabras se le salían sin permiso. Mis otros hermanos tenían la frente casi pegada a la mesa, pues conocían los arrebatos de mi padre. Bulmaro mi hermano parecía estar sobre un estrado, hablando solo en medio de una multitud de bocas amordazadas. ¿Eso te dijo el hijo de la chingada?, preguntó mi padre dando un manotazo en una esquina de la mesa. Sí, apá, eso fue lo que dijo. Bulmaro mi hermano no hallaba cómo salir del callejón sin salida en el que había entrado. ¿Pero así te lo dijo el recabrón?, ¿con esas palabras? Así mismo, apá, con esas palabras. Déjame que lo vea y de mí se acuerdan, de mí se acuerdan si no le arranco los huevos de un tirón. No hagas caso, apá, intervino Teodoro mi hermano pretendiendo sacar el asunto del atolladero. ¿Qué no haga caso, pendejo? ¿Le estás diciendo a tu padre que no haga caso? Bonita chingadera. Felipe mi hermano, que no había intervenido, alzó un poco la voz para decir: ¿no nos estabas diciendo hace un rato, apá, que debíamos ser menos alebrestados? Sí, contestó mi padre. ¿Y no estás tú ahorita que no te cabe un alpiste? Sí, contestó mi padre. Mi padre reconvino y volvió a sentarse en el equipal, sin poder liberar la rabia contenida. Pasados unos minutos, como si la escena anterior hubiera sido vista a través de una gran pantalla de cine mudo, mi padre dictó una conferencia magistral sobre los beneficios de la paciencia y el respeto a los derechos ajenos. Felipe mi hermano puso la muela de seis en una de las hileras y, con ello, volvió a cerrar el juego. Este vale no se sabe otra, dijo mi hermano Teodoro y empezó otra vez a remover las fichas.

Aunque después de lo dicho por Huicho el ranchero Bulmaro mi hermano no hizo ningún comentario más, al siguiente día muy temprano monta la mula y va al rancho de don Cecilio. Llega a las siete de la mañana, cuando aún no han terminado de ordeñar. El cielo está raso y se oyen todavía cantos de gallos desvelados. Huele a madera húmeda. Don Cecilio Alcaraz saca la cabeza por debajo de las ubres de la vaca al escuchar las pisadas de un animal que se aproxima. Dice con una voz seca y alargada: dichosos los ojos. Se levanta del banquito y limpia sus manos en las perneras del pantalón. Mi hermano baja las escalerillas que dan a los comederos y, sin cruzar la cerca de alambre de púas, se dirige a don Cecilio Alcaraz con un tono amainado: esta es la última vez que veo una bestia suya en mi rancho, don Cecilio. La próxima vez se la voy a tener que mandar derechito al rastro. No me diga, dice don Cecilio dando tres pasos hacia delante y quedando a una nariz de la nariz de Bulmaro mi hermano. Ya se lo dije, sentencia dándose la media vuelta. Sin pronunciar una palabra más, mi hermano Bulmaro monta otra vez la mula, da dos chicotazos y no torna la vista hasta que las patas del animal pisan tierras de su propiedad. En la rivera del río Colima, Bulmaro mi hermano baja del animal, se arrima a un árbol y orina dejando un charco de aguas turbias y espumosas que escurren haciendo un surco delgado en busca de las aguas del río. Es hora que no puede evitar pensar en Matías su hijo. Viene su recuerdo como una maldición. Se dice: ah qué mi Matías, chihuahua. Y los ojos se le arrebatan de lágrimas nomás de recordar cuando le avisaron de su muerte. Como todas las muertes, la muerte de Matías su hijo fue una muerte pendeja, piensa. No había siquiera terminado de cruzar la calle. Ni pelos le salían en los sobacos todavía. Pero bien dicen que piquete que va derecho, aunque le frunzas el ceño. Seguro está que si no lo hubiera dejado salir esa noche, le habría caído encima el techo de su habitación. Ejemplos le sobran para sostener que nadie tiene comprado nada en esta vida. Mi hermano Bulmaro se ha recargado en el tronco del árbol, sin darse cuenta que delante del pensamiento anterior viene el de Teresa su hija, a quien hacía unas semanas lograron traerla de la muerte debido a un aneurisma. Dicen los médicos que se recupera favorablemente, pero Bulmaro mi hermano no logra comprenderlo muy bien porque Teresa su hija pesaba sesenta y cinco kilos y ahora casi llega a los cuarenta. Se la están comiendo los gusanos en vida, piensa mientras vuelve a montar la mula. Por la brecha va silbando una vieja canción que le escuchaba a mi padre siendo aún niño y viendo las iguanas tendidas en las ramas de los árboles secos. Su pasividad le inquieta, porque pareciera que por su piel de lija no pasaran los años. Sólo se escucha el rechinido de la silla de montar y las pisadas del animal que, de cuando en cuando, vacila entre las piedras falsas. Nada ni nadie perturba ese silencio funerario, ni siquiera el canto intermitente de los pájaros que se oyen más allá del barrancal.

Al llegar al rancho, la mujer de Huicho el ranchero lo recibe con un trozo de cecina, un cuenco con frijoles de la olla y unas tortillas que han estado dorándose sobre la leña. ¿Cómo siguió la Lupe?, pregunta Bulmaro mi hermano mientras remueve el lodo de las botas. Pues apenas ayer la dieron de alta, don Bulmaro. Dice el doctor que debe aguardar reposo. Mi hermano saca la llave de su habitación, que ha construido con todas las comodidades encima del granero, una habitación a su gusto, con aire acondicionado, cocineta y sillones reclinables, y se la extiende a la mujer: tenga, y dígale a la Lupe que si necesita algo más, me diga. Sara recibe la llave y a cambio le entrega dos tortillas recién salidas de la brasa. Muchas gracias, don Bulmaro. Sara se inclina en la barra de concreto y saca de una hielera una cerveza. Mi hermano Bulmaro se sienta sobre un tronco que hace de banca, apoyado sobre dos piedras. Coge el trozo de carne con desgana, como desentendido del acto de comer, absorbido por nadie sabría qué pensamientos. ¿Y le quedó la ropa a la Lupe? Bulmaro mi hermano muerde el pedazo de carne y un hilo de jugo le escurre por la comisura derecha. Sí, don Bulmaro, no se hubiera molestado, contesta Sara intentado agradecer las demasiadas atenciones. Huicho el ranchero aprovecha para decirle que ha cambiado la llanta de la camioneta, le ha puesto nuevo el filtro de aceite y le ha dado una buena limpiada a los tapetes, que estaban llenos de mierda. Se la dejé como culo de recién nacido, don Bulmaro. Mi hermano Bulmaro mueve la cabeza de arriba abajo sin decir nada. Luego, Huicho el ranchero le explica que lo mejor será empezar a pastorear las chivas allá por el lado del

Algodonal, darles la vuelta por acá por la tamalera y traerlas por la brecha grande, no importa que las tenga que meter a empujones por el corral de los comederos. ¿Y ya se echó un taco la Lupe? Mi hermano Bulmaro no ha escuchado nada de lo dicho por Huicho el ranchero. Nomás no le sale el hambre, don Bulmaro, contesta Sara y luego le da un sorbo grande a la cerveza helada. Ah qué muchacha ésta.

Al día siguiente, cuando volvían de recoger la rastra y de poner los curasemillas, de aquel lado del llano Huicho el ranchero descubrió una alambrada caída, los postes salidos de los agujeros y los ganchos estira alambres rotos. Se acercó, inclinó la cabeza y comprobó que había sido trozada deliberadamente, cortada con unas pinzas o algún corvillo. Arrímese, don Bulmaro, dijo alertando. Mi hermano fue y constató que en efecto alguien lo había hecho con mala intención. Al cruzar del otro lado de la cerca descubrieron pisadas en la tierra hundida, como si el encargado del trabajito hubiera pasado un buen rato dándole duro a la faena. Bulmaro mi hermano apretó el coraje entre la lengua y el paladar y aguzó la vista en un punto impreciso. Viejo perro, dijo apretando todavía los dientes. Antes de montarse en la yegua, ordenó a Huicho el ranchero que amarrara bien la alambrada y que no olvidara ceñirla con nuevos torniquetes. Déjalo como para que ni un méndigo tráiler pueda pasar por ahí. Descuide usted, don Bulmaro, dijo Huicho el ranchero empezando a poner manos a la obra.

Ayer vino mi hermano Bulmaro a hablar con mi hermano Ismael, que es agente del Ministerio Público de la mesa cuarta, encargada de los delitos contra el patrimonio, aunque también atiende amenazas y tentativa de homicidio. Mi hermano Ismael estudió derecho aquí en Colima y entró a la Procuraduría gracias a la ayuda del tío Alberto, magistrado civil y mercantil del Supremo Tribunal de Justicia. Nadie se explica cómo, siendo un mierda, el tío Alberto ayudó a Ismael mi hermano a entrar a la Procuraduría. Pero como hay cosas en la vida que nadie se explica, nadie tampoco se las pregunta. Mi hermano Bulmaro le pidió a Adela que si podía hablar con mi hermano Ismael, sin percatarse de que yo estaba en el escritorio de la esquina del mostrador, detrás de una máquina Olivetti, levantando una denuncia de amenazas a una mujer de Cuauhtémoc. Antes de entrar a la oficina, mi hermano Bulmaro pidió a Huicho el ranchero que lo esperara en la banca. Huicho el ranchero asintió con la cabeza y dio media vuelta. De frente encontró la figura de Adela, quien guardaba en sus respectivas actas los informes periciales enviados por el médico forense y a quien Huicho el ranchero auscultó con una mirada libidinosa. Al pasar junto a mi escritorio, levanté una mano para saludarlo y continué con lo mío. Huicho el ranchero me respondió con un movimiento de cejas y fue a sentarse a la banca, cual perro guardián. Dos minutos después de que entrara mi hermano Bulmaro a la oficina, salió de la misma un muchacho vestido de mujer que había sido detenido la noche anterior por no haber querido pagar la cuenta en Los Caporales. Además de no haber querido pagar la cuenta en Los Caporales, se le acusaba de haberle quebrado en la cabeza una botella de cerveza al encargado del congal. Sin embargo, en su declaración ministerial el muchacho vestido de mujer se defendió dando un argumento irrebatible: ¿usted cree que si le hubiera quebrado la botella en la cabeza a ese pendejo, licenciado, trajera esta cara de infelicidad? Si nomás tuve tiempo de meterle un patadón en el culo. Y eso fue todo. Una hora más tarde salió Bulmaro mi hermano. Le dijo gracias a Adela con mucha parsimonia y le guiñó el ojo. Luego, al buscar con la mirada a Huicho el ranchero, se detuvo en mí, que seguía levantando la declaración ministerial a esa pobre mujer. Entonces se acercó y me saludó con cierta indiferencia, como si todavía no terminara de perdonarme lo que hice sufrir a mi madre. ¿Dónde está la mesa sexta, Abel?, preguntó sin siquiera detenerse en averiguar cómo estaba. La señalé con el dedo. Es ésa, dije y volví a lo mío, con cierta altivez. Cuando hubo firmado el acta la agraviada, fui donde mi hermano Ismael para averiguar lo que quería mi hermano Bulmaro. Ismael mi hermano fue escueto y no me dio pormenores, se limitó a decirme que ya habían empezado los problemas en el rancho. Le sugerí que mejor levantara un acta de antecedentes en la mesa sexta, dijo. Por cierto, ¿ya comiste? Ni comido ni desayunado y puede que ni cene, contesté un poco en broma un poco en serio. Mi hermano Ismael me invitó a su casa a comer. Olga había cocinado unas pasillas rellenas riquísimas. No era la primera vez que Ismael mi hermano me invitaba a comer. En realidad, él sabía mejor que nadie que con el sueldo que me pagaban no me alcanzaba ni para comprarme un rollo de papel de baño. No como para no cagar, hermano, dije otra vez un poco en broma un poco en serio. Salí de la oficina, rodeé el escritorio, y me detuve detrás de Adela. Acerqué mi boca a su oreja y susurré: ¿cómo está mi preciosa linda? Adela sonrió sin abandonar lo que estaba haciendo, quizá por el disgusto de anoche o porque en realidad estaba atareada transcribiendo una fe ministerial. La noche anterior no había podido ir a su casa, como habíamos quedado, pero no fue por andar de truhán, sino porque tuve una guardia insufrible. De la comandancia judicial nos avisaron de un 10-13 no bien recibimos la guardia. Los hechos habían ocurrido en el tramo carretero Colima-Tecomán, a la altura de las Golondrinas. Mi hermano Ismael me pidió que me encargara del levantamiento de ley. Hazlo para que te vayas fogueando, agregó. Yo dije que sí aunque después pensé que lo que yo realmente necesitaba era un aumento de sueldo. Subí a la camioneta asistido de dos judiciales y escoltado por el médico forense y los peritos, que nos seguían en otra camioneta. Acababan de dar justo las diez de la noche. No bien llegamos al Rey Colimán, empecé a sentir un tenue escalofrío en la espalda. Levantar un cadáver no será miel sobre hojuelas, pensé. Nadie nunca sabe lo que se va a encontrar en realidad. Cuando llegamos al lugar de los hechos, ya nos esperaba un policía federal de caminos, quien apenas vernos nos dijo que ese bulto de masa informe que estaba embadurnado sobre el pavimento era el occiso. Me coloqué la linterna en la frente y avancé con dirección al bulto señalado por el policía federal. Los judiciales me flanqueaban aluzando también con sus linternas de mano. Al llegar al pie de la excrecencia, me di cuenta de que el rostro no tenía rostro, como si el automóvil que lo impactó lo hubiera arrastrado tal cual una lija contra un pedazo de metal. El tronco tenía sólo la mano y el pie izquierdos. La mano derecha la encontraron entre unos matojos, del otro lado de la autopista, empuñada como queriendo todavía disuadir el impacto. La pierna derecha no aparecía por ningún lado. Estuvimos limpiando la zona alrededor de una hora, tiempo en el cual uno de los peritos se dio a la tarea de despegar con una espátula la masa de carne informe del que fuera unas horas antes, seguramente, un hombre con deseos y esperanzas, trabajo y deudas, odios y riñas. Cuando ya casi el hartazgo nos vencía, el federal de caminos nos informó que un colega suyo había detenido a un chofer de tráiler en el libramiento Manzanillo-Cihuatlán, poco antes de llegar a la caseta de peaje. Lo detuvieron porque traía roto uno de los faros frontales, pero al inspeccionar el tráiler descubrieron que entre las llantas traseras estaba la pierna del hoy occiso, de quien no se tienen más generales. Vaya viajecito se pegó la pierna de este buen hombre, dijo riéndose el federal de caminos. Yo no tenía muchas ganas de reírme sino de encogerme de hombros, pero como en este trabajo lo peor es ir de Marilyn Monroe, no tuve más remedio que replicar: pues que la esposen y la multen por viajar de gorra. Juntamos los pedazos del hombre y los metimos en una bolsa plástica. Al asomarme al interior de la bolsa para corroborar que estuvieran todos los miembros consignados en el acta ministerial, vi que la mano derecha se abrió para saludarme. Brinqué hacia atrás como un venado y caí en la cuenta que lo que me había sucedido era sólo parte de mi imaginación, porque un muerto por más vivo que parezca no puede abrir la mano ni para saludar a su presente ni para pedir dinero afuera de una iglesia. Ya de vuelta a la Procuraduría, uno de los judiciales contó lo que le había sucedido a un sobrinito suyo el día que le hicieron la circuncisión. Dijo que estando el sobrinito en la antesala del quirófano, vio entrar por la puerta a un hombre vestido de bata azul, guantes blancos y tapabocas, y que preguntó: mami, ¿pe-ya-ta? Y que entonces el doctor, grandilocuente como se ponen todos los doctores antes de meterte cuchillo, dijo a su hermana: pero, señora, qué inteligente hijo tiene usted. Mire, dijo pe-dia-tra. No, doctor, dice que le dijo su hermana al doctor, lo que Eloycito quiso decir en realidad es que si usted es el doctor que le va a pelar la reata. Luego de reírnos todos como chinos, el judicial sacó un cigarrillo y dijo que antes y después de un buen taco, un buen tabaco, con lo cual yo entendí muy bien que, como máxima autoridad de esta diligencia, me correspondía pagar la cena.

Cualquiera con el mínimo sentido común hubiera adivinado que esa mañana Bulmaro mi hermano iba a matar a la vaca josca. Mi hermano Bulmaro es de armas tomar, como ya se ha dicho. De manera que esa mañana, nomás bajarse de la camioneta, vio que entre las vacas que entraban a los comederos estaba una vaca josca que no era suya. Para evitar cualquier equivocación, se colocó los anteojos sobre el arco de la nariz y aguzó la vista sobre el fierro. En efecto, no era suya. Volvió a la camioneta, que había estacionado cerca de la pila, sacó de la guantera la pistola, metió cartucho en la recámara y regresó. Si hubiera estado Huicho el ranchero esa mañana, seguramente lo habría persuadido de no cometer tal jaleo. Habría dicho: vamos esperando un tantito así, don Bul. No hay tal necesidad, mire. Pero Huicho el ranchero no estaba, había ido a pastorear las chivas allá por el llano bajo. La única que lo miraba desde el ventanal era Lupe, cuyos ojos se escondían tras pensamientos impuros y sueños macabros. Mi hermano Bulmaro se percató de que Lupe lo miraba y se irguió. ¿Cómo está la Lupe?, preguntó apretando con mayor entereza la cacha de la pistola. Bien, don Bulmaro. Aquí nomás. Bulmaro mi hermano siguió caminando, despotricando contra las piedras que se le atravesaban en el camino. Cruzó el falsete, brincó de un salto un bote con melaza y se detuvo frente a la vaca josca. No volteó ni para un lado ni para el otro. Fija la mirada en el ojo fulgente del animal, colocó el cañón de la pistola a un lado de la oreja y soltó el primer plomazo. La vaca cayó al suelo después de un ligero tanteo. Habría querido mantenerse en pie, pero las patas, al cabo de unos instantes, dieron de sí. Ya en el suelo, mi hermano Bulmaro le descargó los cinco tiros que le quedaban. Ahora sí, dijo dientes para adentro, vístanla de smoking para que vaya al baile. Luego levantó la mirada y revisó el potrero para cerciorarse de que ningún otro animal que no fuera suyo se había escurrido en sus tierras. Buscó detenidamente como si le hubiera quedado la mitad de la sangre hirviendo. Como no encontró nada, echó con el botín unos puños de tierra sobre la sangre granulosa, y se encajó la pistola adelante del pantalón. Cuando se dio la media vuelta, se encontró con Lupe, que lo miraba desde el altillo del corredor. ¿Cómo está la Lupe?, dijo mi hermano Bulmaro todavía con la mano derecha fría. Pues aquí nomás, don Bulmaro, ¿cómo me ve usted? Bulmaro mi hermano le dijo que se subiera a la camioneta para llevarla a dar un paseíto al Rancho de Villa, sirve que le compro a mi Lupita unas zapatillas nuevas, dijo, porque no me gusta que ande descalza.

Jalan más un par de tetas que cien carretas, piensa doña Leonor bajo el efecto de vientos confusos. Cuando vuelve a su habitación se percata de que ha desaparecido la gargantilla regalo de su madre el día de bodas, y el anillo de diamantes que le trajo Bulmaro chico de París. Le faltan algunas sábanas y cobertores, y la venta de leche del día. Por eso, al hurgar el armario de Abel, no le sorprende encontrar los ganchos de la ropa vacíos, unas chancletas azules y un par de libretas negras de pasta dura envueltas en una bolsa de plástico. Coge la bolsa y se sienta en una esquina de la cama, tal como sucede en las telenovelas. Mira hacia la ventana presa de un mal presentimiento mientras hojea las libretas buscando algún indicio o señal. Sólo encuentra anotaciones de sucesos sin importancia y una especie de letras de canciones con tachaduras y enmiendas, además de trozos de periódicos y recortes de revistas con reflexiones incomprensibles. Sin darse cuenta, se le sale una lágrima que rueda sobre la página, haciendo correr un poco la tinta. Cierra la libreta y va a la cocina para inventarse algún quehacer. No encuentra cosa mejor que secar los trastos con una toallita blanca. Su cuerpo sigue ahí, es cierto, pero no sus pensamientos, que intentan dar con el rastro de Abel. Poco antes de terminar la faena, escucha el ruido del motor de la camioneta de su marido y un poco después el rechinido de la puerta cancel. Bulmaro grande ha llegado del rancho. En lugar de salir en su busca como de costumbre, prefiere esperarlo a que entre, se quite las botas y pregunte por la comida del día. Me muero de hambre, mujer, dirá. Bulmaro grande ve la mesa pelona y pregunta a su mujer si pasa algo. Doña Leonor, que permanece de espaldas sacando una jarra de agua fresca del refrigerador, dice que Abel se ha ido de la casa. ¿Y a qué hora regresa o qué?, refunfuña Bulmaro grande, como si se tratara de un ahorita vuelvo. Y se ha llevado tu chamarra de piel y tu barra de oro, agrega doña Leonor en el instante preciso en que vacía el agua fresca en el vaso de Bulmaro grande. Hay un silencio de unos segundos, que doña Leonor aprovecha para sacar mecánicamente las tortillas de la hornilla. ¿Mi chamarra de piel y mi barra de oro? Y todas mis joyas, incluyendo la que me trajo Ito de París. Pues si lo agarro, dijo Bulmaro grande dando su habitual manazo sobre la mesa, lo capo al cabrón. Doña Leonor tiene los ojos abotagados y no consigue evitar derramar otra lágrima. Llora apretadamente, hacia dentro, porque sabe que Bulmaro grande no es hombre al que se le dobleguen las piernas fácilmente.

Abel Corona llega a la Terminal de Autobuses a las diez de la noche. No encuentra un alma en esa mazmorra olorosa a leche seca. Va al mostrador de Ómnibus de México y pide un boleto para Monterrey. La empleada de la línea le informa que no hay viajes directos a Monterrey, pero que si quiere puede venderle uno a Guadalajara. Abel Corona asiente. Entrega el importe del boleto y busca una banca en el andén contiguo. Deja la maleta en el suelo y recarga la guitarra en sus rodillas. Abel Corona está nervioso. Sucede lo mismo siempre: cuando quiere encontrarse con alguien, nadie da luces. Cuando no, en cambio, hasta del cielo le cae en la cabeza. Mira el reloj con impaciencia, cada dos segundos, pidiendo que el tiempo se precipite en el concreto. Los minutos parecen horas y las horas, siglos. A la hora indicada, Abel Corona sube al autobús, no sin antes hurgar en la bolsa de su camiseta para cerciorarse de que no olvidó el papel con el domicilio de Hortensia. Aunque el chofer lo mira con extrañeza, hurgándolo de arriba abajo cual si fuera un ladrón, Abel Corona pasa de largo. Camina por el pasillo hasta encontrar su asiento, al lado de un hombre moreno, gordo, pelo chino, quien apenas llegar profiere una sonrisa amable. Abel Corona devuelve el saludo con deferencia y se arrellana en su plaza. Buenas noches, dice el hombre. Buenas, contesta Abel. Esta vez le ha tocado ventanilla cuando en realidad hubiera querido pasillo. Por otro lado, su compañero de asiento es hombre cuando, en realidad, hubiera querido que fuera mujer. Pero el hecho no tendría importancia de cara a estas circunstancias. El autobús abandona la Terminal y Abel Corona estira los pies, buscando una posición cómoda. Luego gira la cabeza y busca más allá de la ventanilla la presencia de alguien preguntando por él desesperadamente. No hay nadie, nada, salvo el transcurrir de imágenes fugaces, que se hacen difusas en su mente y le impiden dominar la ansiedad que bulle en la boca de su estómago. No sabe en realidad, ni se lo ha preguntado, si lo que ha hecho está bien o está mal, se ha dejado llevar simplemente por el efluvio de los sucesos, uno después de otro, y por una convicción de no volver nunca la vista atrás. A lo hecho, pecho, oye un rumor al fondo de sus pensamientos. De pronto escucha como venida desde muy lejos la voz del hombre que está a su lado. El hombre le pregunta si se llama Abel Corona y Abel Corona, sin salir de su empelotamiento, tapados sus ojos con un pañuelo negro, contesta que sí. El hombre explica que sabe de él por su hermana Cecilia, quien creo estuvo contigo en la secundaria, ¿no? Abel no puede reconstruir el recuerdo de esa muchacha ni tal vez el recuerdo de nadie en este momento, pero a cambio dice que sí, que claro que se acuerda. El hombre refiere que su hermana está estudiando en la Normal de Maestros y que va maravillosamente bien. Aunque ello parece no importarle mucho a Abel, a cambio, otra vez, muestra interés y cordialidad. Quiere ser educadora, cómo ves. Abel se percata de que el hombre que lo interroga no es lo que se dice un hombre hombre, pero eso viene a importarle un rábano porque, a fin de cuentas, tampoco está pensando en casarse con él. Cecilia me ayudó mucho cuando estuvimos en dibujo técnico, interviene Abel apenas logra atrapar la imagen de su rostro. Yo era muy pendejo para diseñar casitas. El hombre que no es un hombre hombre comenta que su hermana tenía grandes aptitudes para el dibujo, pero que en la vida, tú sabes, deben un día tomarse decisiones definitivas y a veces dolorosas y ella se inclinó por la docencia y no por la arquitectura, como quería mi madre. Tu hermana tenía un soberano culo, dice Abel abruptamente y casi sin gesticular. Luego, antes de que el hombre que no es un hombre hombre abra la boca, agrega: lo tenía duro y siempre mirando hacia el cielo. Al hombre no le incomoda el comentario. Al contrario, una especie de regusto le viene a invadir todas las fibras del cuerpo. Le ha gustado constatar que el muchacho tiene los huevos bien tarjados en medio del pantalón. Tal vez por eso, el hombre que no es un hombre hombre relaja un poco más la voz, las expresiones de la cara y los movimientos de las manos, tal como hacen los jotitos de verdad. Como vive solo en Guadalajara, donde es maestro de una escuela rural, invita a Abel a que pase la noche con él. Abel Corona niega con la cabeza. El jotito ya declarado insiste en que puede levantarse mañana a primera hora para traerlo de regreso a la Terminal, una vez que te hayas dado un baño y hayas desayunado unos buenos chilaquiles, que me salen de chuparse los dedos. Abel Corona niega otra vez con la cabeza. En ese instante se da cuenta de que el asistente del chofer que caminaba por el pasillo se ha detenido dos asientos adelante del suyo. Saca de su bolsillo la linterna al tiempo que pide a los pasajeros su comprobante de boleto. No quiere en realidad ningún comprobante de boleto, sino nomás dejarle claro a la pareja que éste no es lugar para irse metiendo mano. El asistente apaga la linterna y continúa su recorrido.

A Guadalajara llegan poco después de la media noche, con algunos minutos de retraso. La temperatura ha descendido más de lo normal y en la Terminal se percibe una atmósfera enrarecida, tal como si se hubiera cometido un crimen. Abel Corona baja del autobús y se despide con un apretón de manos del jotito ya declarado, quien no deja de mirarlo de arriba abajo, tal como miran los jotitos de verdad. Luego, Abel se dirige a uno de los mostradores de la Terminal A, ubicada tres edificios adelante, en el otro extremo del estacionamiento. Adosados a las columnas y pilastras del corredor, muertos de frío, se pueden ver hombres con la cabeza metida en sus chamarras y niñas enroscadas entre periódicos y cartones. Abel Corona detiene la mirada en un piecito que sale de un cobertor rojo. Un piecito sucio que lleva puesta una zapatilla azul de plástico. Le produce náusea verlo ahí tirado como arrastrado por el viento. De forma imprevista, decide no ir a la Terminal A hasta entonces no haya metido algo en el estómago. Tiene un hambre que parece perforarle los intestinos. Cruza la avenida interior hacia unos puestos de tacos y otras frituras. Escoge uno al azar, como siempre, y pide cinco tacos de res y una Coca-cola. La muchacha que calienta las tortillas lo mira con amabilidad. Abel responde de igual manera. La muchacha es guapa y tiene un culo de perlas. Sus manos son diestras para voltear las tortillas. No da aún la mordida al tercer taco cuando empieza a imaginarse con ella en una casa de dos recámaras en alguna colonia a las afueras de Guadalajara. Piensa cómo sería la vida a su lado, sus hijos, sus rutinas diarias. Aceptaría un destino como vendedor de tacos. Se miraría en las mañanas troceando cebolla, cilantro, preparando salsas verdes y rojas, yendo por la carne al mercado, limpiando el carretón, y saliendo por fin a las seis de la tarde a la esquina del jardín, junto a un vado y bajo un toldo de plástico, para la venta de la noche. Se imagina siendo él mismo el hombre que despacha los tacos en ese momento, mientras ella, siendo su mujer, calentaría las tortillas. Con ese culo para vestir santos podría vivir toda la vida, piensa. Y luego corrige: toda la eternidad. Al lado de Abel está un hombre de botas de avestruz, bigote hasta las rodillas y tejana. El hombre habla con familiaridad con el taquero, a quien llama cuñado. El hombre de bigote hasta las rodillas parece simpático y relajado, seguro de sí mismo, por lo que Abel no duda en reírse de sus bromas, con ligera complicidad. El hombre se da cuenta de que ha caído en gracia de Abel y, al momento, lo empieza a participar de sus habladas con el taquero, a quien Abel también empieza a tratar de cuñado. Mientras lo dice, ve con el sesgo a la muchacha que calienta tortillas, quien casi como no queriéndolo acepta los tirones del muchacho. Dame otros dos tacos, cuñado, dice Abel presintiendo la mirada de la muchacha. El hombre de bigote hasta las rodillas pide la cuenta y advierte al taquero que le cobre también lo de Abel. Yo le invito, amigo, dice. Abel lo agradece en el alma. Cuando el hombre se despide, Abel sigue sus pasos con la mirada y se da cuenta de que es el chofer del tráiler blanco estacionado junto al lote de autos usados. Se echa la maleta al hombro, coge la guitarra y lo sigue. Mientras camina, irá a unos cuantos metros del hombre de bigote hasta las rodillas, siente un ligero temor o desconfianza, no podría precisarlo. Por su cabeza pasan siluetas arrebatadas, virulentos presagios, pozos en los que cae y cae interminablemente, como en sus sueños. Los sueños de Abel Corona son pozos en los que cae y cae interminablemente. Pozos sin fondo. Pero también son pelotas que rebotan hasta traspasar las nubes. Pelotas cuyo bote y rebote no puede controlar. La pelota empieza a subir, sube más y más, alejándose de la tierra hasta que se abisma en las alturas. Rebotar es caer hacia arriba pero quebrarse la cabeza contra el pavimento. Los sueños de Abel son contradictorios, como los perros que muerden la mano que les da de comer, por eso esta vez no sabe si seguir al hombre de bigote hasta las rodillas o darse la media vuelta. Está en medio de dos puertas: una frente a él y la otra a sus espaldas. Las dos puertas están cerradas, igual que todas las puertas del mundo. Abel tiene que elegir, no sabe cuál puerta debe abrir, y en esa indeterminación puede irse la vida, como quien se desangra. Sin embargo, el éxito o el fracaso no consiste en abrir la puerta correcta, sino tan sólo en abrir la puerta, abrirla sin importar si está adelante o atrás. Pero en la vida hay también puertas que no se abren. Puertas atrancadas y clausuradas con candados invulnerables. Abel no sabe si avanzar o retroceder, abrir la puerta de adelante o la de atrás. En un momento, y casi sin pensar en los riesgos que la decisión puede acarrearle, da un paso al frente, otro paso más y así hasta que se detiene a una cabeza del hombre de bigotes hasta las rodillas, quien voltea de súbito y dice qué pasa, amigo, mientras se escarmena el bulto con la mano derecha. Abel pregunta al hombre (*quisiera que me dijera usted*, dice) hacia dónde va. Voy a Laredo, responde el hombre de bigotes hasta las rodillas. Abel Corona mira el mapa de su imaginación y no encuentra a Laredo por ningún lado. Ignora si Laredo queda hacia el norte o hacia el sur, hacia el este o hacia el oeste. Nunca ha sabido siquiera por dónde sale el sol. ¿Y eso queda cerca de Monterrey?, insiste con notorio desconocimiento. Un poco más pa' arriba, indica el hombre de bigotes hasta las rodillas. Abel le explica que va a un pueblo llamado Sabinas Hidalgo, el cual, según el papel que muestra al hombre, está precisamente en Monterrey. El hombre de bigotes hasta las rodillas mira los garabatos del papelito (ahora desliza sus dedos sobre el bigote) y arguye que en efecto Sabinas Hidalgo está en Monterrey, muy cerca de Uña de Gato, el pueblo de donde es él. ¿Y podría irme con usted? Abel hace una pregunta que parece llevar implícita la certeza de una respuesta negativa. ¿No eres mariquita sin calzones?, revira el hombre de bigote hasta las rodillas con ligera socarronería. La boca se le haga chicharrón, contesta Abel. Sube tus chivas, pues. Abel Corona rodea el tráiler y sube de un brinco la escalerilla de la puerta. Coloca maleta y guitarra en uno de los compartimentos del camarote y se arrellana en el asiento. ¿No me vas a decir siquiera cómo te llamas?, pregunta el hombre de bigotes hasta las rodillas mientras se abrocha el cinturón de seguridad. Abel Corona. ¿Y usted? Roberto Alanís. Se estrechan la mano. Roberto Alanís añade: y que sea la última vez que me hablas de usted. La próxima te meto una de estas cosas por el culo, dice señalando un bat de beisbol que lleva a un lado del asiento. No se preocupes, dice Abel visiblemente trastocado.

En Guadalajara le pedí aventón a un tipazo de hombre, aunque al principio me dio mala espina. El hombre se llama Roberto Alanís y es de Uña de Gato, un pueblo cercano a este pueblo. Lo conocí en una taquería cercana a la Terminal de Autobuses. El hombre llevaba botas de avestruz, unos bigotes hasta las rodillas y tejana. Le pedí que si me traía y me dijo que sí, pero antes me preguntó el muy desgraciado que si no era maricón o una de esas cosas por el estilo. Yo le dije que no era maricón y que a las pruebas me remitía. No recuerdo si le dije que a las pruebas me remitía, pero sí recuerdo que le dije que no. Roberto Alanís me dijo que iba a Laredo a dejar una carga de electrodomésticos. Durante el trayecto me contó parte de su vida y yo le conté parte de la mía. Parte de la parte que me contó de su vida tenía que ver con su infancia. Roberto Alanís empezó lavando tráilers allá en Nuevo Laredo, en una yarda de un hombre que era propietario de una fletera, don Javier Garza. Tenía once o doce años y vivía con una sobrina de su madre, a quien le daba parte de sus ganancias como pago de asistencia, comida y otros gastos de la casa. Cuenta que dormía en la habitación del fondo, donde tenía un catre con un cobertor de tigre, una radio en la que escuchaba las canciones norteñas emitidas por la estación Cuisillos después de las diez de la noche y un buró con una lamparita, tal como sucede en las telenovelas. Cuando cumplió los catorce años cuenta que lo empezaron a dejar estacionar los tráilers dentro de la yarda. Un día, mientras estacionaba un tráiler para luego lavarlo, y escuchaba el ruido del motor, su mente lo trasladó a una carretera interminable, se vio en la carretera manejándolo, yendo de una ciudad a otra, incluso de un país a otro país, acelerando cada vez más y más, sin detenerse. Entonces supo que lo que más quería en la vida era ser chofer de un tráiler. Fue ascendiendo poco a poco, cuenta, pese a las envidias de otros lavadores de tráilers como él. Pasado el tiempo, dejó de lavar y estacionar tráilers y se fue de ayudante de un conductor amigo de don Javier Garza, quien le dijo que no lo pensara dos veces. Esta es tu oportunidad de salir de este cochinero, dijo. Roberto Alanís aceptó y subió al tráiler esa mañana. Cuenta que cuando salieron a la carretera y empezaron a dejar atrás la ciudad, sintió que algo se desprendía de su cuerpo para siempre. Jamás, desde aquel entonces, me volví a bajar de estos bichos. Años después, Roberto Alanís se enamoraría de la hija de don Javier Garza. La hija de don Javier Garza era una muchacha cinco años más joven que él, guapa, grandota, nada alebrestada. Administraba la yarda. Llegaba por las mañanas, muy temprano, se encerraba en la oficina a la vuelta de la pluma hidráulica y se marchaba hasta el atardecer. Era los ojos de don Javier Garza esa muchacha. Debido a los viajes y las andaderas casi no tenía tiempo de trovarle mucho, cuenta, pero después de volver de los viajes procuraba traerle algún regalo. Las primeras veces, Gabriela, que es como se llama, recibía el obsequio y decía gracias, sin dar pie a ir más allá. Después, empezó a contestar a los detalles de Roberto Alanís con otros detalles. Si él le obsequiaba un par de aretes, ella le contestaba al momento con un cinturón de piel. Si él le daba un collar de conchas, ella le contestaba al momento con una cartera de cocodrilo. Un día le traje de Veracruz un huipil bordado con unas palomas de alas abiertas en el antepecho, y ella, al momento, me contestó con unos boletos para el cine. Cuenta que tres meses después se casaron, pese a la resistencia de don Javier, quien al principio se mostró reacio con el parentazgo. Roberto Alanís hablaba siempre sin voltear a verme, como si en realidad estuviera hablando para sí mismo. Yo lo escuchaba con atención, sin interrumpirlo, porque a veces lo veía entrar en una especie de trance en el que nadie podría saber si estaba despierto o dormido. Iba con los ojos abiertos, fijos en la luz proyectada en la carretera, pero su cuerpo lindaba con las fronteras del delirio. Esto lo advertí un día que le pregunté cualquier cosa y él, como despertando de un sueño largo, perdió el control del volante y por poco nos salimos de la carretera. Cuando veas que no parpadeo, Abel, ni se te ocurra hablarme, dijo recuperando otra vez el control del volante. Yo no entendí muy bien lo que quería decir con eso, ni tampoco quise averiguarlo. Pensé que tal estado lo causaban las pastillas que ingería después de cada comida. Pero no estaba seguro. Lo cierto es que, después de lo ocurrido, cuando lo veía hablando sin parpadear, no lo interrumpía, me mantenía en silencio pensando en cualquier cosa o regresaba al camarote a dormir un poco.

En Concepción del Oro, un pueblo de Zacatecas, nos detuvimos. Entramos por la calle principal, una calle polvorienta flanqueada por casas viejas y montañas. Dimos vuelta a la altura de la catedral y aparcamos un poco más adelante del monumento al minero. El letrero decía: Carnicería Mayra. Roberto Alanís miró por el retrovisor y se pasó el peine por la cabeza. Luego bajó con un portafolio negro y entró en la carnicería. Yo aguardé arriba del tráiler, porque antes de bajar me recomendó: mejor espérame tantito aquí. Tardó algunos minutos adentro y al rato salió acompañado de un hombre descamisado que, al despedirse, lo palmeó en el hombro y le guiñó un ojo. Roberto Alanís metió debajo del asiento una bolsa negra cuyo contenido no pude ver. Arrancamos y seguimos por la misma calle. Tres cuadras adelante dimos vuelta y avanzamos otras tres. Nos detuvimos detrás de una camioneta de redilas. Roberto Alanís sacó la bolsa negra, extrajo un fajo de billetes y me dijo: ahora sí vente. Sin entender lo que estaba sucediendo, bajé del tráiler. Roberto Alanís metió la mano por la ventana y abrió la puerta, anunciando su llegada con un silbido. Del fondo salió una mujer de piel blanca, delgada, de caderas anchas. Roberto Alanís y la mujer se dieron tremendo besó en la boca. Luego me presentó: éste es Abel. Buenos días, dije. La mujer pidió que me sentara al tiempo que me preguntaba si había desayunado. Ya, muchas gracias, mentí. Roberto terció: no eche mentiras, cabrón. Ándale, dile a Cuquis que le prepare algo. Roberto Alanís y la mujer cruzaron la cortina que hacía de puerta y su sombra, transparentada a través de la tela, fue sustituida por la de Cuquis, quien traía unos tacos de frijoles y un vaso de leche. Sin leche está bien, dije. ¿Agua fresca de arroz?, preguntó Cuquis y, al escuchar su voz, sentí un amasijo chirriante en los huesos. Sí, contesté sin dejar de mirarla. Aunque estaba desarreglada, pantalón corto, blusa de algodón y sandalias de horca pollo, la muchacha parecía un ángel. Comí los tacos casi de un bocado, aunque intentando evitar que se me notara el hambre. Cuquis me acompañó en todo momento. Soy cuñada de Beto, dijo. Empecé entonces a entender cómo estaba la situación, pero no conseguí desenredar la madeja del todo. Momentos después volvieron a aparecer detrás de la cortina Roberto Alanís y la hermana de Cuquis, quienes se dieron un beso espectacular entre la sombra. ¿Cómo te parece Abel?, preguntó Roberto a Cuquis al salir, con cierta cachondería. Cuquis dispuso una sonrisa de esas que sobra explicar. No pude evitar sentirme incómodo, pero creí que no debía quedarme callado. De verdad que me gustaría invitar a Cuquis a París, dije con el sueño de visitar un día la torre Effiel o el Sena. Roberto Alanís y la mujer se rieron. Ah qué mi Abel este, dijo como si ya me conociera de toda la vida. Cuquis se despidió de mí con un beso en la mejilla.

Roberto Alanís era un tipazo de hombre, aunque al principio me dio mala espina. Lo encontré en Guadalajara y le pedí aventón. Roberto Alanís es de Uña de Gato, un pueblo cercano a este pueblo. Lo conocí en una taquería cercana a la Terminal de Autobuses. El hombre llevaba botas de avestruz, unos bigotes hasta las rodillas y tejana. Le pedí que si me traía y me dijo que sí, pero antes me preguntó el muy desgraciado que si no era maricón o una de esas cosas por el estilo. Yo le dije que no era maricón y que a las pruebas me remitía. No recuerdo si le dije que a las pruebas me remitía, pero sí recuerdo que le dije que no. Roberto Alanís me dijo que iba a Laredo a dejar una carga de electrodomésticos. Durante el trayecto me contó parte de su vida y yo le conté parte de la mía. No dije todo, pero no dije mentiras. Y si dije, no me acuerdo. Me preguntó de dónde era y le contesté que de Colima. Le dije que mi madre era ama de casa y mi padre campesino, dueño del rancho El Mezquite. Mi padre se robó a mi madre, hija de un rico comerciante. El padre de mi madre tenía costales de oro en la bodega, pero no lo mataron por eso, sino por tres miserables llantas, dicen. El padre de mi madre era propietario de un negocio grande llamado La Barca de Oro. En el negocio se podía encontrar de todo: desde un kilo de maíz hasta un tractor. Era un hombre pudiente el padre de mi madre y, tal vez por ello mismo, avaro. Prestaba dinero con intereses altos a sabiendas de que la gente no podría pagarle. Fue así que se hizo de pistolas, automóviles, caballos, casas, huertas y grandes extensiones de tierra. La vida giraba alrededor de su nombre. Cornelio de la Flor Montalvo se llamaba. Un día cualquiera le metieron tres balazos en el pecho. El padre de mi madre ordenaba los registros de venta en la oficina detrás de la tienda cuando aquella mañana, en punto de las ocho, llegó un hombre de huaraches reforzados buscándolo. ¿Estará por ahí don Cornelio?, preguntó el hombre con una típica voz aletargada. El padre de mi madre ordenó que lo dejaran pasar. Entonces dijo: ¿ya me andas trayendo lo de los intereses, Chuy? El hombre de huaraches reforzados dijo que sí, pero en lugar de intereses sacó del costalillo una pistola 38 súper. Los tres balazos retumbaron en las cuatro paredes de la oficina de mi abuelo. Sólo se dejó escuchar un grito seco, convulsivo, y un porrazo de muro derrumbándose. El hombre de huaraches reforzados salió corriendo de la oficina, aventando los costales de frijoles y las cajas de cereal que se le atravesaban por enfrente. Al llegar a la calle, huyó como un despavorido. Mira nomás, diría poco después el tío Lorenzo, por tres desgraciadas llantas dejaron como santo cristo a mi pobre hermano. El padre de mi madre dejó seis hijos: Chabela, Petronila, Inés, el tío Lorenzo, Albertillo y mi madre. Mi padre se la robó y se la llevó al rancho El Mezquite. Mi madre cuenta que la primera noche en el rancho fue una noche de espanto. El rancho no tenía luz eléctrica, de manera que la oscuridad se plegaba en cada rincón del cuchitril, con excepción de los salientes arrasados por la luz de los mecheros. La oscuridad era densa y parecía un turbión de sombras. Mi madre sufrió las primeras semanas porque pasó, de un día para otro, de señorita de buena familia a mujer de ranchero. Ahora debía cocinar con leña, amasar tortillas, lavar ropa en el bordo y removerle la mierda a los botines de mi padre. En lugar de baño había letrina, y en lugar de automóvil, mula briosa. Ahí nacieron muchos de mis hermanos, criados entre el puro lodazal dejado por las lluvias del temporal. A mí me tocó nacer en Colima, porque pasado el tiempo, cuando amainaron los problemas con la familia de mi madre, mis padres decidieron volver a la ciudad. Pero ahora mi madre quiere mudarse por respeto a la memoria de su hermano Lorenzo. Unos meses antes de irme de la casa, el tío Lorenzo y la tía Rosario vinieron de Piedras Negras a pasar unas vacaciones. Lorenzo mi tío era un hombre alto, que usaba el sombrero ladeado y que hablaba con lentitud, como dejando atascadas las palabras en el paladar. Mi tía Rosario, mujer discreta y de buenas maneras, dedicaba su vida a decir sí al tío Lorenzo. Mi tío Lorenzo heredó gran parte de las tierras que dejó mi abuelo, unos ranchos de Tecomán y unas hectáreas localizadas en el Segundo Anillo Periférico, al norte de la ciudad, mismas que había estado vendiendo a constructores y a pequeñas industrias. Vinieron a pasar vacaciones y a ver cómo iban los negocios. Habían pensado llegar, recuerdo, al hotel Flamingos, pero mi madre se opuso tajantemente y les alicató la habitación de mis hermanos, a un lado de la mía. Ni que no tuvieras hermana, dijo mi madre. El día que llegaron, Lorenzo mi tío me saludó efusivamente y me pidió que si no le lavaba su camioneta, una Chevrolet roja acabada de salir de la agencia. Sacó la billetera y me dio dos billetes. Ándale, Abel, pa' que invites a los toros a una buena potranquita, dijo palmeándome la espalda. Gracias, tío. Mi tío Lorenzo y mi padre nunca se tragaron del todo. Se masticaban, hablaban fluido, pero detente ahí. No era cosa que se les viera decir salud en reuniones o fiestas familiares. Mi padre decía que nunca le perdonaría lo que le hizo, aunque yo no he sabido todavía a ciencia cierta el motivo de tan agrio resentimiento. El tío Lorenzo tenía un carisma evidente y su cordialidad estaba a prueba de balas. Por eso nadie se explica el tamaño de la desgracia. Una mañana encontramos a mi tío Lorenzo y a mi tía Rosario sobre un charco de sangre. La sangre escurría hasta el recibidor, en un hilo delgado y espeso como la melaza. Ambos presentaron un orificio en la sien, con la pistola a un lado del cuerpo de mi tío Lorenzo, embadurnada también de sangre. Era una pistola 45 de cachas chapeadas en oro y plata, que Lorenzo mi tío siempre trajo fajada delante del pantalón. Desde que mató al Tigrillo Zamora, un pretendiente de la tía Rosario que le metió dos filerazos al tío Lorenzo en el costado izquierdo, mi tío Lorenzo nunca dejó la pistola ni para ir al baño. El Tigrillo Zamora fue el causante de que mi tío Lorenzo tuviera que huir de Colima. Dicen que el tío le dejó el cuerpo como una coladera, la boca cubierta de sangre, en medio de la calle empedrada. Pero ahora el tío Lorenzo yace despatarrado en el suelo, junto a la tía Rosario. Ambos miran el techo pero como si en realidad estuvieran mirando un cielo azul. Hasta donde se sabe, las investigaciones fueron determinantes: mi tío Lorenzo le dio un balazo a mi tía Rosario y luego se suicidó. La policía, sin embargo, interrogó a mi padre durante horas. Mi padre estuvo encerrado dos días en los separos de la Judicial, como sospechoso del crimen. Ni mi madre ni yo ni mis hermanos pudimos descubrir las causas reales del suceso. Cuando soltaron a mi padre, mi madre y él se encerraron en su habitación. Yo escuché que discutían acaloradamente, alguno de los dos hacía golpear la silla del tocador o la cabecera de la cama. Luego de un rato, mi madre salió llorando y se tumbó en el mueble de la sala. Mi padre apareció poco después con un cigarrillo en la boca y le dijo que se dejara de lloriqueos. Me miró a los ojos fijamente al pasar y entró en la cocina, donde estuvo hojeando una revista de Kalimán que yo había dejado sobre la mesa. No se oye la cazuela en esta casa, dijo minutos después. Esa era la forma en que pedía de comer cuando ardía de coraje.

Roberto Alanís escuchaba a Abel Corona como si Abel Corona estuviera contando una novela, por eso Abel Corona tenía que decir cada cierto tiempo te lo juro o verdad de Dios. En un momento pensó que le estaba hablando a una pilastra de hielo. Roberto Alanís era un tipazo de hombre, aunque Abel al principio le tuvo mala espina. Roberto Alanís le contó a Abel parte de su vida y Abel le contó a Roberto Alanís parte de la suya. No dijo todo, pero no dijo mentiras. Cuando iba a contarle por qué se fue de la casa, a Abel le menguaron las ganas. A Sabinas Hidalgo llegaron en la noche de un jueves. El pueblo estaba solo como un panteón. Lo atravesaba la misma carretera por la que se llega a Nuevo Laredo, primero, y a Laredo, después. En una esquina que era paradero de autobuses de pasajeros, Roberto Alanís detuvo el tráiler. Antes que Abel bajara, Roberto sacó de la bolsa negra un fajín de billetes y lo introdujo en la bolsa del pantalón de Abel. Cuídalos, dijo con una expresión que reflejó ternura. Abel Corona colocó su mano sobre los billetes y dio las gracias a Roberto Alanís. Luego, bajó de un brinco y permaneció en la banqueta hasta que el tráiler que conducía Roberto Alanís se perdió en la oscuridad.

Cecilio chico llegó del norte en una camioneta negra de vidrios polarizados. Venía a pasar navidad y año nuevo en casa de sus padres. Lo acompañaban su mujer y sus dos hijos, que eran pochos, es decir, que no hablaban ni español ni inglés, estaban gordos como lechones y usaban tenis grandazos marca Nike. Cecilio chico era la estrella más grande en el firmamento de don Cecilio Alcaraz. Se había ido al norte muy joven y siempre que venía traía las talegas llenas de dólares. Toda la gente del barrio les ponía tapete rojo al puro bajarse de la camioneta. Los trataban como a dioses o presidentes de república. Aunque Cecilio chico tenía cuarenta años escasos, ya llevaba en sus espaldas, se decía, varios difuntos. Era de esos que cerraban las cantinas y armaba alborotos con la pistola. Cuidado con que lo miraras airado o te atrevieras a rezongarle: ahí mismo te quebraba de un plomazo. La gente del rumbo decía que no era cierto que se dedicara a la construcción. Tendría seguramente otros *negocitos*, porque ya pasadas las copas se le salía decir que la empresa era fuerte y que esto y que lo otro. Un día que andaba en la tomadera se detuvo frente a un local de fiestas. Cecilio chico se hacía acompañar de tres malandrines más, que le servían de bufones. En la fiesta se celebraban los quince años de la hija de don Rosendo Bautista, un hombre dedicado a la venta de maderas finas. Cecilio chico y los tres malandrines llegaron a la puerta y pidieron entrar. El que llevaba la cuenta de las entradas y salidas les dijo que sin pases era imposible, que eran las órdenes y que lo disculparan. Cecilio chico dijo al muchacho que si sabía quién era él y el muchacho le dijo que al menos a Pedro Infante no se parecía. Cecilio chico hizo la finta de darle al muchacho unas patadas en el hocico, pero al final dijo vámonos, enfurruñado de coraje. Subieron a la camioneta otra vez y anduvieron dando la vuelta por el jardín del pueblo, con la música norteña a todo volumen. Hacían rechinar las llantas en las calles empedradas, arrebatando piedras a diestra y siniestra. Dos horas después, Cecilio chico cogió la avenida lateral y volvió al local de fiestas donde celebraban a la quinceañera. Se detuvo frente a la puerta de acceso, dio tres tragos a la cerveza, y luego de pedir a uno de los malandrines que se la sostuviera un momento, arrancó a toda velocidad. Cecilio chico se llevó entre las llantas el portón y un barril de basura e instaló la camioneta en el mero centro de la pista de baile, casi llevándose de largo a una pareja bailadora. Una vez dentro, bajó de la camioneta, sacó la pistola y pegó tres balazos al aire, perforando el techo de lámina. Luego espetó: ¿quién fue el hijo de la chingada que olvidó invitarme a la fiesta? Don Rosendo Bautista ordenó que le colocaran una mesa y lo atendieran como era debido.

A la cena de navidad asistieron todos los Alcaraz, tanto los que venían de Piscila y Tepames, como los que bajaron de Puerta de Ánzar y el Astillero de Arriba. Habían estado preparando la celebración desde un día antes, en la fiesta de la tía Leonila, quien cumplía sesenta y cinco años de edad y cincuenta años de casada, aunque a esos años había que restarle los tres que trabajó de puta en el cabaret Las Tres Calandrias. Para tal festejo mataron un puerco y llenaron una hielera con cerveza Corona, aunque también hubo botellas de tequila y sotol, que el primo Javier había traído de Chihuahua. Estuvieron bebiendo hasta el anochecer, acompañados de un trío norteño que pagó Cecilio chico y al que le dijo: toquen hasta que les sangren los dedos, cabrones. Al día siguiente, todos estuvieron invitados a la cena de navidad en la casa de don Cecilio, quien muy temprano mandó a Alfonsito y al Güero a recoger mesas, manteles y sillas allá con doña Cleofas. Alfonsito y el Güero eran los hijos de Ventura, el hijo más grande de don Cecilio. Muchachos vagos e hijos de la chingada por donde se les viera. Bravos para echar bronca, pero de rienda muy suave cuando se trataba de recibir órdenes del abuelo y del tío Cecilio, quien siempre les daba sus buenos dólares después de cada favor. Alfonsito y el Güero fueron los encargados de armar las mesas, tender los manteles y poner las sillas en el corredor de la casona. Luego trajeron las piñatas para lo escuincles y los churros y cacahuates que servirían de botana. De las ocho en adelante empezaron a llegar los invitados, todos vestidos de bota y sombrero y llevando chamarras de piel. Una piel que olía. Se sentaron haciendo un rectángulo en la mesa. Los mayores en el corredor y los niños a un costado de la cocina. Empezaron a beber y platicar babosadas, mientras los chiquillos jugaban en el patio policías y ladrones. Cuando la mujer de Cecilio chico se levantó para ir al baño, don Cecilio pensó que era el momento adecuado para hablar con su hijo. Tocó el antebrazo de Cecilio chico y adelantó la silla para que nadie más lo escuchara. Cecilio chico ladeó el oído y empezó a escuchar lo que don Cecilio le contaba. Don Cecilio comenzó hablando más bien imperturbablemente pero terminó manoteando sin sacar las manos por encima de la mesa, como procurando esconder la rabia. Cecilio chico aprobaba nomás y apretaba los labios. Yo me encargo de eso, apá, dijo al final.

Al siguiente día vino Samuel a invitar a Cecilio chico a ver un invernadero que había construido en el Astillero de Abajo. El primo Samuel había metido un proyecto agronómico en la Secretaría de Agronomía para obtener los subsidios necesarios y lo habían aprobado. Sería el primer invernadero en toda la región. Un amigo suyo había hablado maravillas de los beneficios que daba producir en invernadero y Samuel, ni tardo ni perezoso, puso todas sus esperanzas en una tentativa que no sólo involucraba al gobierno del estado sino incluso a bancos, empresas privadas y a la misma familia, quienes dieron parte del dinero para poder llegar a la suma que Samuel necesitaba. Carolina había hipotecado su casa y Silvio vendido un terreno de Piscila que había logrado adquirir después de años de sacrificios. De ese tamaño era el entusiasmo que tenían por la empresa. Quién sabe cuántos miles de pesos consiguió reunir el primo Samuel para echar a andar el proyecto. Compró las tierras en el Astillero de Abajo y ahí instaló cinco hectáreas de casa sombra y cinco de invernadero, usando para ello las técnicas más sofisticadas. Fue incluso a Europa para recibir capacitación, y vino asombrado de los resultados que vio por aquellas tierras. Cuando hubo quedado todo en su sitio, el primo Samuel se dio a la tarea de sembrar pimiento rojo y amarillo, el cual, una vez cosechado, sería enviado a Estados Unidos. Con el dinero de esa producción, Samuel pensaba pagar a los deudos pendientes y dejar en buen recaudo dinero suficiente para la próxima siembra. En tres años estaría, según sus cálculos, echado en la hamaca nada más mirando los chorretes de dinero que brotarían como agua de manantial. Pero como uno pone y Dios dispone, y como luego llega la tía Concha y todo lo descompone, la planta se emplagó y la cosecha no salió en la fecha establecida, por lo que los encargados de colocarle la producción en los Estados Unidos, unos distribuidores que vivían en Nueva York, se negaron a darle más prórroga. Los tiempos de entrega se habían pasado y los dos tráilers llenos de pimiento rojo y amarillo que habían salido del Astillero de Abajo con las bendiciones de toda la familia se los devolvieron de la frontera tal como habían llegado, lo que significaba un golpe con tubo en la pura nuca del incipiente agricultor. Por eso, la noche anterior la tía Carolina le había comentado llorando a don Cecilio que estaban en la ruina a causa del invernadero de Samuel. Los contratos de préstamo con el banco y las hipotecas habían vencido, y los abogados estaban casi tumbándoles la puerta con las diligencias de embargo. La tía Carolina perdería su casa al igual que Carolina chica. El resto de los hermanos, que también habían puesto su parte en el negocio, empezaban también a discordarse con Samuel. No tenemos ni para comer, dijo la tía Carolina en tono de súplica a don Cecilio Alcaraz. De no ser por la More, que me manda mil pesos cada quince días, estuviéramos arrastrando la lengua en el polvo.

Samuel le señaló el camino a Cecilio chico y ambos entraron en la casa sombra. Cinco hectáreas sembradas ahora de planta de jitomate. Mientras las recorrían, Samuel empezó a explicarle a Cecilio chico cómo estaba más o menos el asunto. Me la estoy jugando, primo, dijo Samuel entreviendo inseguridad. Cecilio chico, que no era ningún improvisado en estos menesteres, bien que había crecido también entre vacas y sembradíos, vio que las plantas estaban chinas ya, lo que indicaba que la plaga les había entrado hasta la cocina. Con el pimiento me fue de la chingada, primo, agregó Samuel. Cuando me regresaron los dos tráilers sentí como si me hubiera pateado una mula. Los quisimos colocar aquí en México, pero el pimiento rojo y amarillo no tiene salida por ningún lado. Sólo en el Distrito Federal colocan dos tráilers por semana. Sólo en el Distrito Federal, imagínate. Me torcieron gacho. Pero como dicen, primo: pa' aprender, perder. La voz de Samuel mostraba desamparo, estaba barruntada de desaliento. El muchacho sacaba fuerzas de quién sabe qué pozo de agua para seguir con la empresa, aunque se veía que aquello era un callejón sin salida. Por la silueta del paisaje, Cecilio chico se dio cuenta de que al cabo de un mes todo el plantío de jitomate no sería más que un espumarajo de plaga. Estaba claro que Samuel no tenía dinero ni para los herbicidas. Quiero ver si me asocio con alguien, dijo finalmente con la mirada fija en la tierra. Cecilio chico entendió la indirecta pero se quedó en silencio repasando de punta a punta el rostro de lo que sería otro fracaso. Cuando volvieron a la camioneta, y fueron por la brecha seguidos por el trote de un caballo flaco, Cecilio chico preguntó a Samuel que de cuánto era el tiro. Samuel contestó que con unos cincuenta mil dólares estaba más que servido. Cuenta con eso, dijo Cecilio chico poniéndose un cigarrillo entre los labios.

Mi hermano Bulmaro estaba apretándole el fuste al caballo alazán cuando vio que se acercaba por la brecha una camioneta negra de vidrios polarizados. Trató de distinguir los rasgos del conductor, pero se lo impidió el reflejo del sol sobre el parabrisas. Entonces siguió con lo suyo hasta que oyó que un motor se apagaba a la altura de la pileta. De la camioneta descendió Cecilio chico, a quien esta vez no lo acompañaba nadie. Buenas, dijo mientras bajaba la cuesta. Mi hermano Bulmaro se levantó y giró la cabeza. Buenas, contestó. Cecilio chico dijo a Bulmaro mi hermano que venía nomás a traerle una razón y que no le quitaría ni dos minutos. Pues dígame pa' qué soy bueno, amigo, respondió mi hermano con amabilidad. ¿Usted es Bulmaro Corona?, preguntó Cecilio chico. A sus órdenes, contestó mi hermano. Los dos hombres se miraron fijamente a los ojos. Cecilio chico movió la cabeza de un lado para otro y se rascó el mentón. Bulmaro mi hermano permaneció en la misma postura, con una soguilla colgándole de la mano derecha. Cada cual había hecho una imagen del otro. En cuestión de segundos los dos hombres habían medido distancias y alcances, con lo cual casi podían adivinar qué eran capaces de hacer y qué no. Cecilio chico dijo a mi hermano Bulmaro que había tenido que venir personalmente del norte para decirle que en el rancho de su padre el único que podía mandar las vacas derechito al rastro era él y ningún otro hijo de la chingada más. Cecilio chico raspó la suela de la bota sobre las piedrillas. Bulmaro mi hermano no necesitó otra lanzada para saber el motivo de la visita del hombre que tenía enfrente. Dejó la soguilla sobre la silla de montar, se adelantó dos pasos y, a un pie de Cecilio chico, dijo: a mí nadie me va a decir lo que tengo que hacer, amigo. Luego añadió: y si usted de veras mastica rieles como dice, traiga con qué y nos arreglamos. Por la ventana del cuarto de junto se podía ver el rostro de Lupe, quien estuvo avistando la escena desde el principio. Huicho el ranchero había dejado de limpiar la pilastra para venir a colocarse a unos metros del lugar donde los dos hombres discutían. Después de escuchar lo dicho por mi hermano, Cecilio chico, sin exasperarse, dio media vuelta y advirtió a mi hermano que estaba bien, que ahorita vería de cuál cuero sacarían más correas. Montó en su camioneta, echó de reversa y arrancó haciendo despotricar la terracería. Luego de unos minutos, Bulmaro mi hermano ordenó a Huicho el ranchero que sacara las pistolas de la gaveta. Huicho el ranchero sintió la piel ceniza, como de palo seco. Trató de persuadir a mi hermano de no seguirle el juego al sacapiedras ese, pero mi hermano Bulmaro no quiso echar para atrás. Lupe, que estaba oyendo desde el ventanal, miró a mi hermano con una mirada indecisa. Huicho el ranchero no tuvo más remedio que ir a la gaveta y sacar las dos pistolas envueltas en una franela roja. Una 357 mágnum y otra 38 especial. Bajó corriendo las escalerillas y, jadeando no se sabe si por la prisa de la carrera o el susto, extendió la 38 especial a mi hermano Bulmaro, pistola que había sido de mi padre. Luego, mi hermano le pidió que bajara los postes de la camioneta, que esa misma tarde entregarían en el rancho Los Tres Amigos, de Raúl Cortés. El cielo se nublaba. Mientras Huicho el ranchero descargaba los postes de la camioneta, Bulmaro mi hermano fue donde Lupe, que ahora estaba tumbada en el catre viendo las noticias en el televisor blanco y negro que unos meses antes mi hermano le había regalado. Se arrimó a ella y le habló en secreto. Minutos después, salió de la habitación y ordenó a Huicho el ranchero que llevara el volante. Así como ando ahorita, don Bulmaro, nomás lo voy a desgraciar. Huicho el ranchero temblaba de manos y pies. Estaba pasmado. Usted maneje mejor, insistió. Mi hermano Bulmaro no quiso dar largas y se montó en la camioneta. Arrancaron a toda prisa. Saliendo a la carretera cuatro carriles, dieron con dirección a Colima. A la altura del rancho Las Guásimas vieron de pronto cómo una camioneta negra con vidrios polarizados se cruzaba el camellón intempestivamente y quedaba atravesada en medio del asfalto. Era Cecilio chico, quien bajó con un rifle y encañonó la camioneta de mi hermano. Mi hermano Bulmaro alcanzó a detenerse a unos metros de distancia, pero no consiguió librar los impactos de las balas. Sólo escuchaban los rejoneos en la lámina de la camioneta y el quebradero de los cristales. Huicho el ranchero comenzó a no poder respirar, agazapado estaba debajo del tablero. Por la cabeza del mozo pasaba la certeza de que, en cualquier momento, una bala le atravesaría el cuerpo. Sentiría un calor de brasa y luego perdería la conciencia de sus manos, luego la de sus ojos y así hasta perder la conciencia de sí mismo. Ignoraba por qué se había ido metiendo, como el que quiere y no, en estos enredos. En milésimas de segundos pensó en Sara, en la Lupe, pensó en lo fácil que hubiera sido decir no voy, don Bulmaro, y hasta aquí llega mi lealtad con usted. La lealtad debe ser otro invento chino. Hubiera dicho no y con esas dos letras hubiera bastado para salvar su pellejo. Huicho el ranchero sudaba. Sudaba mares. Todas las balas le parecían la bala definitiva. Mi hermano Bulmaro, en cambio, esperaba el momento en que Cecilio chico perdiera piso para acercarse. Sabía que las pistolas son de más corta distancia, por lo que se limitó a cubrirse los balazos y a intentar fijar el blanco de Cecilio chico por un miradero que se abría entre el retrovisor y la ventila. Cuando se percató de que

Cecilio chico había llegado a la distancia precisa, cogió la pistola con la mano izquierda y sacó el brazo por la ventanilla sin levantar la cabeza. Empezó a disparar al puro bulto. Una bala tras otra, acompasadamente. De pronto, escuchó un requejido. Alzó la cabeza y vio que Cecilio chico se atenazaba una pierna. Luego vio que el rifle se desprendía de su mano sin fuerza. Bulmaro mi hermano bajó de la camioneta, mudó la pistola de mano y descargó dos balazos más sobre la humanidad del agresor. Cuando Cecilio chico se desplomó contra el pavimento, mi hermano se acercó, colocó el cañón de la pistola en su nuca y le metió el tiro de gracia. Estuvo mirando unos segundos el cuerpo desanimado de Cecilio chico. Lo escupió con saña y volvió a la camioneta caminando apaciblemente, como si en realidad viniera de recibir la comunión. Al abrir la puerta de la camioneta, aventó la pistola sobre las piernas de Huicho el ranchero y echó a andar el motor después de un par de intentos. Mi hermano Bulmaro pasó por encima de la cabeza de Cecilio chico una de las llantas delanteras de la camioneta. Al caído ni agua, dijo con la sangre todavía hirviéndole. Como a poco menos de dos kilómetros estaba el restaurante de mi tío Teodoro, Bulmaro mi hermano se detuvo para enjuagarse los ánimos con un trago de tequila. Qué has hecho, Bul, preguntó el Güero mi primo al verlo llegar. Nada, primo, dijo mi hermano, acabo de atropellar un perro y vengo a sacarme los espantos. Ah qué primo éste. Huicho el ranchero se acercó al Güero mi primo y le explicó, todavía con la voz batida, que en realidad mi hermano acababa de matar a un hijo de don Cecilio Alcaraz. Pero don Bulmaro no tuvo la culpa, Güero, verdá de Dios, agregó. Después de verificar lo dicho por Huicho el ranchero, mi primo el Güero aconsejó a mi hermano que se escondieran del lado del Huizachal y que él se encargaría después de notificar a la familia. Más vale llevar un muerto en la conciencia que morir como rata en la cárcel, dijo sacando unos billetes de la caja registradora. Tenga, primo. Mi hermano recibió el dinero y lo introdujo en la bolsa de su camisa sin mirar siquiera de cuánto se trataba. El Güero mi primo le explicó que la llamada serían tres señales de luz. No se te ocurra salir, primo. No, pariente. ¿Y yo qué hago?, preguntó Huicho el ranchero. ¿Tú mataste a alguien?, reviró mi primo el Güero. Ni a una pinche gallina, contestó Huicho el ranchero. Entonces escóndete en mi habitación, y no salgas ni aunque te estés cagando. Ta' güeno, dijo Huicho el ranchero y se escabulló por un acceso que conducía al segundo piso.

A las once de la noche volví a casa después de haber ido con Silvia al cine. Apenas llegar, mi madre me dijo que había llamado Ismael mi hermano. Me dijo que te comunicaras con él. ¿No sabes qué quiere? No, no quiso decirme, pero me dijo que era urgente. Llamé a Ismael mi hermano y me dio la noticia, que tomé con inusual frialdad. Ismael había ya hablado con el jefe de la Judicial para que detuviera un poco el operativo de persecución, y así me da tiempo de sacar a mi hermano, comandante, dijo agradeciendo de antemano el favor. El comandante estuvo de acuerdo, no sin antes pedir a mi hermano que de esto ni una palabra. Mi hermano Ismael propuso que lo mejor sería que fuéramos Teodoro y yo a recoger a Bulmaro. El Güero me avisó que estaría al lado del Huizachal, pegado a la carretera. Tres señales de luz. No te preocupes, hermano, dije. Mi hermano Ismael no podía sacar mucho la cara porque era agente del Ministerio Público y podía acarrearle problemas. Además, siendo parientes políticos del gobernador en turno, los humos se caldearían aún más. Mejor vayamos con calma, dijo. Le dije a mi madre que debía salir volando a la Procuraduría. ¿A estas horas, hijo? No me tardo. Voy y vengo. Me enfundé el pantalón y salí a la avenida, donde ya me esperaba Teodoro mi hermano. Anda, sube, dijo dándome la pistola que extrajo de la guantera. Abusado, eh. Cogí el arma y la coloqué entre mis piernas. Teodoro parecía ofuscado. Miraba hacia un lado y hacia otro. No habló durante el trayecto. Sólo carraspeaba. Tal vez iría trazando un plan. Al llegar al Huizachal, bajó la marcha. No hubo dado las señales de luz cuando ya mi hermano Bulmaro estaba metido en la parte trasera del auto, agazapado evitando que alguien lo descubriera. Yo no quise decir nada porque pensé que todavía traería algún resentimiento conmigo. Bulmaro mi hermano era como mi padre, y en cierto modo lo era. Te vamos a sacar por Guadalajara, porque la carretera a Manzanillo está llena de retenes militares. Está bueno, acotó Bulmaro mi hermano. Teodoro se cercioró de que no nos siguiera nadie, dio vuelta en el retorno y continuó por el libramiento a una velocidad moderada, evitando levantar sospechas. Mi hermano Bulmaro seguía tumbado detrás del asiento. ¿Cómo estuvo la cosa, hermano?, preguntó Teodoro. Bulmaro se incorporó aun a riesgo de que lo vieran y se plegó a la puerta buscando un ángulo de sombra. Estaba sereno, igual que después de haber matado a una mosca. Fue culpa de don Cecilio. Él mismo mandó a su hijo al derrumbadero. Mi hermano Bulmaro seguía hablando con pasividad, mirando sin mirar a través del filo de la ventana. Hace tiempo descubrimos que don Cecilio nos metía ganado al rancho. En una ocasión le puse un hasta aquí, pero el viejo me lo escupió en la cara. Además, Teodoro, tú sabes que esas tierras son nuestras, yo mismo saqué las constancias del Registro Público. Mi hermano Bulmaro interrumpió el flujo de sus palabras y, luego de unos segundos, hizo una pregunta que más bien parecía una afirmación: uno defiende lo que es suyo, ¿no? Que chinguen a su madre, dijo mi hermano Teodoro. Sí, que chinguen a su reputa madre los perros. Bulmaro mi hermano volvió al silencio con la mirada perdida, sin parpadear. Cuando esto sucedía, nadie podía saber si en realidad te escuchaba o se había ido detrás de alguna preocupación. Desde muchacho se hizo hombre de trabajo. Empezó como guardia en Petróleos Mexicanos y poco a poco fue ascendiendo hasta que lo hicieron superintendente de la planta matriz de Guadalajara. Empezó yendo al trabajo en una bicicleta lechera, a la que yo le engrasaba la cadena y le limpiaba la masa de las llantas por unos cuantos pesos. Luego, cuando lo ascendieron, compró automóvil y me regaló la bicicleta. Con el dinero que me daba por lavarle el automóvil le compré a la bicicleta un espejo retrovisor, luego unos puños de goma, y así. Por eso, aunque me partiera la cabeza en dos, yo no podría dejar de quererlo. Ha sido un padre para mí. En las noches, cuando la dolencia de oído me arreciaba, mi hermano Bulmaro se levantaba entre la oscuridad, traía de la cocina un ajo caliente y lo introducía en mi oreja. Ya no llore, mi jetón, decía. Y yo, aun muriéndome del dolor, oprimía la dolencia en la boca del estómago porque a mi padre no le gustaba ni que anduviéramos con joterías ni que le espantáramos el sueño a esas horas de la madrugada. No olvidaré su voz diciéndome ya no llore, mi jetón. Además, Huicho el ranchero me confesó que don Cecilio molestaba mucho a la Lupe, aludió mi hermano Bulmaro saliendo bruscamente del silencio. Varias veces le echó los piales cuando la encontraba en el tianguis o afuera de la misa del domingo. Lupe siempre le retobó pero el muy cabrón de don Cecilio nunca cejó en su empeñó. ¿Y Julia?, preguntó Teodoro. Bulmaro mi hermano fingió no haber escuchado la pregunta y luego de agregar que no le faltaron ganas de llenarle también el hocico de mierda a don Cecilio, pidió a Teodoro mi hermano que le entregáramos a Lupe este dinero. Mi hermano sacó los billetes que le había entregado horas antes el Güero mi primo y luego agregó: no dejes de darle razón de mi paradero. Teodoro cogió el dinero y dijo sí con una expresión resolutiva. Una vez que llegamos al crucero de Guadalajara, preguntó a mi hermano Bulmaro dónde estaría bien que lo dejáramos. Bulmaro resolvió que para morir cualquier sitio era bueno y que luego ya él vería dónde se acovachaba. Teodoro no estuvo convencido con la resolución de Bulmaro mi hermano y se detuvo a la altura de Plaza del Sol, justo detrás de una camioneta azul cuyos tripulantes tenían pinta de judiciales. Descendimos los tres del carro. Avanzamos unos pasos hasta quedar debajo de un árbol y ahí despedimos a mi hermano con un abrazo. Cuando volvimos al carro, mi hermano Bulmaro se arrimó a mi portezuela y me dijo: dile a Ismael que Huicho está escondido en el restaurante del Güero y que más adelante me comunico con él para saber cómo van las cosas. Sí, hermano, contesté.

Lo primero que hizo Adela apenas llegara yo a la Procuraduría a la mañana siguiente fue cogerme del brazo y meterme en la oficina de mi hermano Ismael. Pensé que me reprocharía no haber asistido a la cita de la otra noche, pero por primera vez me equivoqué. Adela estaba alarmada y no sin razón. Se había enterado de que la noche anterior los familiares de Cecilio chico habían armado un escándalo. Hubo injurias, manotazos, llantos. Hubo de todo. Según me contó Lety, por poco se monta una carnicería aquí. Adela me recomendó que mejor me fuera o me escondiera porque al parecer los hermanos de Cecilio chico querían venganza. Iban a jalar con el primero que se atravesara en el camino. Le di un beso apretado en la boca imaginando que eran los labios de Silvia y le manifesté que no se preocupara. Si quieren venganza, venganza tendrán. Dije eso para tranquilizarla, obviamente, porque yo en realidad tenía la cabeza humeante. Saqué del archivero una pistola calibre 22, que en realidad parecía de juguete, y la metí en el bolsillo de mi pantalón. Después bajé a Servicios Periciales para revisar el levantamiento del cadáver. Morentín, un perito con el que solía ir de parranda, me dijo que el asunto había estado fuerte. Sacó de una bolsa las fotografías y las fue poniendo una detrás de la otra sobre el escritorio. En ellas pude ver lo que quedó de Cecilio chico después del tiroteo. Su rostro me hizo recordar al de aquel viejito que no hacía mucho tiempo me había tocado levantar. Aplastada como sumida en el pavimento la cabeza. Podía distinguirse el regadero de sesos sobre la mancha de asfalto y los ojos salidos de su órbita. Lo que más enfureció a los familiares durante el reconocimiento del cuerpo fue la saña con que lo mataron, compadre, dijo Morentín al tiempo que sacaba las fotografías de la camioneta de Bulmaro mi hermano. Había quedado también pulverizada, con tantos agujeros como una ratonera. Tenía hechas trizas hasta las luces intermitentes. Se salvó de puro milagro tu hermano, compadre, comentó

Morentín. Suerte, contesté. Luego, Morentín me insinuó que anduviera con precaución. No lo dijo directamente, pero rodeando el punto central de su observación me refirió que uno de los hermanos de Cecilio chico, durante las declaraciones de testigos, empezó a formularle preguntas capciosas. Además, había alcanzado a escuchar que la mujer de Cecilio chico comentó que si no se hacía justicia, ellos se encargarían de poner a cada quien en su sitio. Morentín volvió a introducir las fotografías en la bolsa y se despidió diciéndome que ya veríamos cómo se iban dando los acontecimientos.

Esa noche Adela y yo terminamos el trabajo que habíamos dejado pendiente la noche anterior.

El pueblo estaba peor que un primero de enero. Hacia delante y hacia atrás no podía atisbarse más que una línea blanca que desaparecía en un punto incierto. Abel Corona se echó en hombros maleta y guitarra y cruzó la carretera hacia un hotel de mal aspecto junto a un puesto de tacos. Llegó a la recepción y tocó tres veces la campanilla del mostrador. De adentro de un cuartito donde se escuchaba la voz de Juan Gabriel en el televisor, salió un muchacho de cabellera roja y arete en la oreja izquierda. Abel le preguntó si había una habitación vacante y el muy cabrón le contestó que tenía incluso hasta variedad nocturna, que nada más pidiera. Todo esto lo expresó con la mueca vivaz del que se tira a matar. Pero Abel no tuvo ganas de enredar el dobladillo y pidió un cuarto con cama individual, lo más barato que tengas, agregó. El muchacho de cabellera roja y arete en la oreja izquierda, echando hacia delante los labios sobre el mostrador, dijo que podía darle uno con cama king-size por el mismo precio. Abel dijo que estaba bien. ¿Tú eres de por aquí? El muchacho de arete en la oreja izquierda tuvo intenciones de ir más allá en la conversación. No, dijo Abel mientras rellenaba la tarjeta de registro. Yo tampoco. El muchacho de cabellera roja entregó la llave a Abel y le advirtió que la salida era a la una de la tarde, pero que si deseaba quedarse más tiempo sin cargos honorarios ni impuestos sobre la renta, con darle una palmadita en el culo bastaría y sobraría. Abel no quiso enredar tampoco el dobladillo y, haciendo como que no había escuchado la indirecta, preguntó que si sabía dónde quedaba la calle Paseo de los Girasoles. El muchacho de arete en la oreja izquierda le indicó que caminara dos calles adelante, doblara a la derecha y siguiera unas seis o siete más y luego a la izquierda, y que esa era la calle Paseo de los Girasoles, pero que si quería él mismo podía llevarlo terminando el turno. Abel negó con un movimiento rápido de cabeza y subió las escaleras de madera que rechinaban en cada pisada. Entró en la habitación, colocó la maleta sobre un banco y la guitarra contra la pared. Luego fue al baño, se lavó la cara y se enjuagó las manos. Abel Corona estuvo mirándose un instante en el espejo, en busca de algo que no sabía a ciencia cierta qué era. Después corrió la cortina y abrió un poco el ventanal, a través del cual sobresalía el puesto de tacos. Pensó que sería bueno bajar a darle de comer al perro, de manera que sacó dinero de la maleta y salió de la habitación. Al pasar por el mostrador, hizo el menor ruido para no alebrestar al muchacho de cabellera roja, no fuera a ser que se fuera siguiéndolo como un perro faldero. Llegó al puesto y pidió tres tacos de arrachera, uno con tortilla de maíz y otro de harina. Ay, dijo el que despachaba, este compadre sí los pide cantando. Abel notó la diferencia de su acento con el de los regios, lo que evidenciaba que no era de por este rumbo. Hablo cantadito, sí. Abel trató de aligerar los modos para evitar confrontaciones. ¿De dónde eres, compadre?

De Colima. El taquero guarneció un taco con arrachera, pimiento rojo y verde, y lo colocó en el plato de Abel, quien mostró repentina sorpresa. No se apure, compadre, así tratamos aquí a los fuereños. En la boca del taquero apareció una sonrisa franca. De inmediato, los modos del taquero inspiraron la confianza de Abel. Tal vez por eso, después de haber devorado los tacos, se atrevió a preguntarle que si era el dueño de la taquería. El hombre dijo que no, pero dígame qué se le ofrece, compadre. Abel Corona se aproximó a él rodeando el carretón y le explicó que andaba buscando trabajo. Un hueco que tengan aquí, dijo Abel con la voz opacada. No, compadre, aquí vamos empezando, pero vente mañana tardeando y te tengo una razón. El hombre no dejaba de picar carne y despachar pedidos. Su frente era un manantial de sudor. Gruesas las canillas y la panza abultada. Yo me doy una vuelta mañana entonces, dijo Abel sacando dinero para pagar la cuenta. No, compadre, estos tacos te los invita Carmelo, dijo el hombre sin poder reprimir la indulgencia. Muchas gracias, compadre, replicó Abel metiéndose el dinero en la bolsa.

Abel Corona no recuerda en realidad cómo se sucedieron los hechos después de volver al hotel. Acostado en la cama, viendo dar vueltas al ventilador de techo, duda en si Carmelo le dijo que volviera al siguiente día en la noche al negocio o lo busque en su casa. Si hubiera sido lo segundo, piensa, le habría dado la dirección o las señas. No recuerda si quedaron en verse en algún otro sitio, incluso. Los hechos se le apelmazaban en la memoria como si hubieran sido escritos en un libro sin páginas. Mientras pensaba esto pensaba también en otras muchas cosas que le habían pasado, de manera que no podía terminar de fijar un pensamiento cuando el mismo pensamiento lo hacía mudar a otro. En el preciso instante en que pensaba en lo que haría cuando se encontrara con Hortensia pensaba también en los bares donde había trabajado cantando y luego en su madre a la hora de la venta de leche pero sobre todo en las tribulaciones que le hizo pasar la puta del Broncos' bar. Con las manos cruzadas en el pecho, y siguiendo las volteretas del ventilador, que arrojaba más polvo que aire, vio otra vez a la puta del Broncos' bar entrar con el papá de Alberto, su viejo amigo de la primaria. El hombre era cliente oro del bar y siempre asistía acompañado de una mujer diferente. Elegía una esquina del bar, justo al lado de la barra. Era un hombre gordo y los vellos de su pecho asomaban por encima de la camisa. Vellos con bucles. Vellos apantalladores. No era carita pero llevaba la cartera gorda de billetes. Conducía un carro deportivo con llantas anchas y rines cromados, siempre recién lavado y encerado. Abría la puerta del carro a las mujeres y les recorría la silla al sentarse. Sus modales hacia ellas eran ejemplares, y así han de haber sido también las garrotizas que les propinaba en el motel. Una noche entró en el bar con un culazo de mujer, aunque tuviera la carita de codorniz. Abel los vio entrar por la puerta lateral mientras cantaba "Dos gardenias". Como todas las noches, dio la bienvenida al hombre que era cliente oro del bar y quien, por esas razones, se dirigía a los meseros y al dueño del bar con familiaridad. No bien se sentaba, un mesero colocaba sobre su mesa un ron 1800 y un plato de cacahuates salados. Luego, el mesero sacaba la libretita y pedía la orden a la acompañante. Esa noche Abel Corona notó que siempre que el hombre de vellos con bucles se dirigía al baño, la mujer con carita de codorniz lo miraba fijamente a los ojos, sonriéndole. Para Abel tales muestras podrían pasar como inherentes a su oficio, de manera que ante tales cortesías respondía con una sonrisa o un gesto amable. Pero pasados algunos días, al salir de su función nocturna, había estado cantando una tanda de composiciones de José Alfredo Jiménez, a quien admiraba con reciedumbre, Abel Corona encontró en la esquina del bar a la mujer con carita de codorniz. La vio y dijo buenas noches volteándose enseguida, mientras esperaba que pasara un taxi antes de cruzar a la otra acera. La mujer vestía una minifalda blanca que descubría unas piernas de gimnasio. Los pechos se le iban casi de bruces por el sujetador. La mujer se encaminó hacia Abel y le preguntó que a dónde iba. Abel contestó con otra pregunta: ¿a dónde me vas a llevar? La mujer colocó sus manos sobre el pecho de Abel, biseló el cuello de su camisa a cuadros con los dedos de uñas largas y le dijo que estaba pensando muy seriamente en comérselo a besos esa noche. Detuvieron un taxi y fueron a la casa de la mujer de piernas de gimnasio, quien, durante el trayecto, dijo llamarse Paloma. Tas' rechulo, mijo, dijo metiendo la cabeza en el pecho de Abel. Cuando entraron a la casa, la mujer sacó del bolso una grapa de coca. La puso sobre la mesa, hizo cuatro hileras y se metió dos de un jalón. Abel entendió que las dos restantes eran para él, por lo que colocó la guitarra sobre el sillón, cogió el popote y se las metió de un jalón también. La casa era pequeña y por la parte de atrás pasaba un arroyo. La mujer de piernas de gimnasio parecía vivir sola, aunque en algunos retratos colgados en las paredes y otro en el buró lucía abrazada de un hombre moreno con aspecto silvestre. Abel fue a la cocina por un vaso de agua, que bebió abruptamente. La mujer lo sorprendió en la sala con una tanga roja de encaje. Abel vio en aquel cuerpo delgado unas tetas que, sin lugar a dudas, habían servido para fundar naciones. No me digas mi alma porque te construyo un cuarto aparte, dijo para sí. Abel se tumbó en el sillón y dejó que la mujer se tarjara encima de él. Lo empezó a lamer en boca y cuello, como intentando traerlo hacia sus lindes. La mujer con carita de codorniz desenrollaba la lengua y Abel se la enrollaba apasionadamente, apretándole las nalgas y recorriéndole con la punta de los dedos desde la espalda hasta la nunca. Abel se enamoró de los tres lunares que descubrió en su pecho izquierdo, el tatuaje de águila real en el nacimiento de la cadera y la cadenita de oro en el tobillo. Me gustan las mujeres exuberantes, dijo para sí otra vez. Pero luego corrigió: me encantan las putas. Luego de unos minutos, la mujer condujo a Abel a su habitación, adosada al cauce del arroyo. Desde ahí podía escucharse el mentidero de agua entre las piedras y el alboroto de pájaros entre las ramas de los tamarindos. Al lado del buró la mujer tenía un par de libros relacionados con la magia negra y la Santísima Muerte, mismos que Abel hojeó con desgana. Unos instantes después, Abel rodeó la cama, se desprendió de la ropa y entró en las cobijas, donde lo esperaba una piel blanquísima. Abel se adosó a ella y al instante se percató de que no se le había levantado el pico todavía. Una especie de timidez producida siempre en el primer encuentro no le permitía tirar hacia delante. Las mujeres lo encuentran fácil, pensaba. Cosa de abrir las piernas y dar el tirón. La mujer de piernas de gimnasio tuvo que hacer un esfuerzo extra para intentar ponérsela tiesa, pero como a huevo ni las gallinas ponen, pensó que sería bueno dejar que el muchacho se tranquilizara, de manera que empezó a contarle cualquier cosa. Le dijo, por ejemplo, que su madre leía las cartas y que tal vez a eso se deba su curiosidad por tales asuntos, aunque su vieja fuera en realidad una loca embustera. Luego sacó del cajón del buró un libro del Horóscopo Chino, lo abrió en la página donde tenía el separador y empezó a leer su horóscopo. En el horóscopo chino soy rata, dijo. Luego de explicar pormenorizadamente todo lo hermoso que era ser rata en la vida, preguntó a Abel su año. Abel contestó cualquier cosa. La mujer buscó con el dedo en la tabla de referencias. Eres tigre, mijo. Soy tigre, sí, pero en realidad la tengo de burro, dijo Abel riéndose. La mujer de piernas de gimnasio iba a decir apenas que eso de burro era por lo visto un cuento chino, pero de pronto sintió entre las piernas la dureza del potaje de Abel Corona. Entonces extendió la mano y apagó la luz de la lámpara, tumbando sin querer el retrato donde aparecía el hombre moreno de aspecto silvestre sentado en el cofre de un auto. Ahí en el suelo es donde debe estar este perro, pensó la mujer mientras Abel iba metiéndose entre sus carnes.

La noche de un viernes en que Abel hizo un descanso después de haber cantado canciones de Álvaro Carrillo, fue a la barra y pidió un caballito de tequila. Encendió un cigarrillo y le dio dos chupadas fuertes. Después se fue tomando a sorbos el tequila, que acompañaba con un poco de sal y limón. El comandante Lagartija le pidió que en la próxima tanda cantara "Lámpara sin luz", canción que le llegaba dentro. Y te la voy a dedicar, comandante Lagartija, dijo Abel. El bar estaba más solo que de costumbre. Por más que Adame hacía publicidad en los periódicos y a través de volantes que repartían Las Gemelas en la esquina del Rey Colimán, no lograba aclientarlo. Habrá que cambiar de viejas, sugirió el comandante Lagartija. Los de Benito Juárez están trayendo puro ganado nuevo de Acapulco y

Tijuana y no se dan abasto. En realidad las tres o cuatro meseras que trabajaban en el bar estaban un poco pasadas de peso y cada cual tenía ya su respectivo chulo, lo que no permitía el rejoneo con los clientes. El comandante Lagartija dijo que en Los Ciruelos las muchachas hasta se te sientan en las piernas y te dan besitos en la oreja. Son más cariñosas que mi puta madre las cabronas, subrayó el comandante Lagartija con una emoción evidente. Por pura asociación, Abel recordó de súbito a la mujer de piernas de gimnasio con la que había estado unos meses atrás y preguntó al comandante Lagartija qué había sido de ella. A esa vieja se le pudrió la panocha y se fue al otro barrio, primo, dijo el comandante Lagartija sin dejar de limpiar la barra con una franela roja. Abel sintió una revoltura de tripas dentro del estómago. Le preguntó al comandante Lagartija cómo había sido eso y el comandante le contestó que cómo que cómo, así nomás, por andar de cogelona. Al otro barrio, primo, repitió el comandante Lagartija riéndose. Abel no pudo articular una sola mueca. Sintió la cabeza caliente, las manos entumecidas. Una nublazón empezó a cegarle la vista. Sin pronunciar una palabra más, Abel fue al estrado a terminar la serie. La voz con la que cantaba estaba desenchufada de su cabeza. Cantaba mecánicamente. De un momento a otro, la vida había empezado a parecerle un saco de mierda. La vida era un saco de mierda. Le vino el tic en el ojo. Lo cerraba tres veces cada tres segundos. Al terminar de cantar, se despidió parcamente de Adame y regresó a casa. Estuvo toda la noche con los pensamientos volteados. Todo aquello que tenía sentido empezó a convertirse en un montón de piedras despeñándose. Dale con el tic en el ojo. De qué le servían estas dos piernas, estas dos manos, esta oreja. El pecho apretado y los pensamientos volteados: piedras despeñándose. El tic en el ojo. Se sintió un blanco perfecto para cualquier francotirador. Sin darse cuenta, Abel cayó dormido. Pasó una noche de pesadillas voraces y tercas. A la mañana siguiente lo primero que hizo fue coger un taxi para ir a la busca de la mujer de piernas de gimnasio. Descendió frente a su casa y tocó tres veces la puerta. Del interior salió una niña de escasos doce años. Abel preguntó por Paloma. La niña contestó que no conocía a nadie con ese nombre. Abel Corona miró otra vez la fachada de la casa para cerciorarse de que había llegado al lugar indicado. ¿No está tu mamá, nena? Fue al mercado, replicó la niña. ¿Y alguien más? La niña dijo que estaba sola en casa, por lo que Abel decidió esperar a que volviera. Mientras tanto, golpeó otras tres veces con una piedra la puerta cancel de la casa vecina. La mujer que se asomó por la ventana lo miró con cierta desconfianza, como si hubiera escuchado las preguntas que Abel hizo a la niña de al lado y supiera ya lo que debía también responder. No conozco a ninguna mujer con ese nombre. Abel pensó que quizá por el nombre no la reconocerían y prefirió ofrecer sus rasgos. Mujer de cara finita, piel blanca, pelo corto, su esposo o pareja es moreno, de bigote, aspecto rudo. Ya le dije que no conozco a ninguna mujer con ese nombre, volvió a decir cerrando la ventana. Abel esperó sentado en la banqueta de enfrente hasta que vio que una mujer llegaba a la casa cargando dos bolsas con víveres. Se incorporó y fue hacia ella. Dijo buenos días y preguntó si conocía a una mujer de nombre Paloma. Creo que aquí vivió antes que usted, dijo Abel. ¿Podría decirme dónde puedo encontrarla? La mujer explicó también a Abel que no conocía a ninguna mujer con ese nombre, pero de una vez aprovechaba para decirle que los anteriores inquilinos fueron un matrimonio con dos hijos. Abel pidió a la mujer que lo dejara entrar a la casa sólo para comprobar que no estaba en un error. De hecho, insistió en ello. La mujer aceptó después de oponer un poco de resistencia. Pásele pero no se fije en el tiradero, eh, dijo abriendo la puerta. Abel entró y de inmediato se dio cuenta de que ya había estado en ese lugar. Fue al cuarto del fondo, donde había pasado la noche con la mujer, y miró los árboles de tamarindo y el arroyo. La casa tenía el mismo piso y la cocina el mismo tipo de azulejo, aunque las paredes estaban pintadas de otro color. Oiga, ¿está usted segura que aquí no vivió una mujer de nombre Paloma? Bien segura, joven, contestó la mujer. Abel pensó que había caído al interior de una pesadilla, como si la realidad real se le hubiese convertido en espuma. Dio varias vueltas en su interior para lograr rescatarse de la memoria perdida, pero un haz de incertidumbres lo hizo desistir. Minutos después dio las gracias a la mujer y abandonó la casa. Se fue caminando por mitad de la calle empedrada, hasta que llegó a la avenida. Cogió un taxi y pidió al chofer que lo dejara en el centro de la ciudad. Bajó en la catedral, cruzó la calle y se sentó en una banca del jardín sólo para mirar pasar la gente. Estaba como despidiéndose de todo o como queriendo otorgarle a las cosas que veía el valor que antes les había negado. Niños con botas, mujeres encinta, policías, ancianos, camionetas, árboles, puestos de periódicos, pájaros, todo parecía hecho de oropel rasgado. Esa noche escribió en su libreta negra de pasta dura ideas inconexas relacionadas con cielos ensombrecidos y sanatorios. Volvió a casa y se encerró en su habitación, dejando que su cuerpo se moviera por la simple inercia de los acontecimientos. Abel no sabía si avanzar o retroceder. Las puertas le giraban a su alrededor con la velocidad de una avioneta que se desploma. Su madre tocó a su puerta para decirle que ya estaba la comida y Abel le contestó que no tenía hambre. Pues aquí no es restaurante, mijito, así que te me vienes a comer de una vez, ordenó doña Leonor. Abel se levantó desganadamente, sacando fuerzas de la misma inercia en que se movían los acontecimientos a su alrededor, todos ellos como empujados por una yunta de bueyes. Fue a la cocina, se sentó a la mesa y engulló el caldo de pollo mostrando una notoria desazón. Al verlo don Bulmaro le preguntó que qué le pasaba y Abel contestó que traía una desvelada de tecolote. No vayas a traer una sífilis, cabrón, dijo Bulmaro grande nomás por decir algo. Abel pensó que quizá se le notaba alguna cosa rara en el rostro. Tal vez los ojos la proyectaban. O el color de la piel. Cómo crees, apá, respondió. Don Bulmaro cortó en trozos una tortilla y los echó al caldo, luego los removió con la cuchara y se los zampó con santo placer. Ya tengo comprador para el rancho, dijo. ¿Y has visto al compadre Rincón?, preguntó doña Leonor deshaciéndose del mandil. Lo vi el otro día. Está acabado mi pobre compadre. Lo rechingó la muerte de Rinconcillo. Abel terminó de comer, puso los platos en el fregadero y dijo que se iba a dormir un rato. En realidad no iba a dormir, sino a echarse boca arriba en la cama para seguirle dando vueltas a la cabeza, como un ventilador.

Abel Corona despertó y encontró en la habitación a una muchacha morena que barría procurando no hacer mucho ruido. Buenas, dijo la muchacha de falda corta. Buenas, respondió Abel. No quise despertarte, agregó. Abel miró el sol en la ventana y preguntó a la muchacha que qué horas eran. Son las doce, dijo y sacó una hojita doblada. Te la dejó Giovanni. ¿Giovanni?, preguntó Abel. Sí, el mariquita de la recepción. Abel desdobló la hoja y se encontró con un mapa preciso que le indicaba cómo llegar a la calle Paseo de los Girasoles. Abajo del mapa se leía: besitos, chulo. Abel guardó el papelito en la bolsa del pantalón, se puso los zapatos, cogió maleta y guitarra y se despidió de la muchacha. Bajó a la calle y empezó a caminar en la dirección indicada en el papelito. De un lado y del otro de las aceras veía una lentitud propia de los pueblos: viejitos de sombrero bebiendo Coca-cola afuera de una tienda de abarrotes, mujeres con bolsas de plástico esperando eternamente un autobús, gente que camina a paso lento porque no hay por qué andarse con prisas cuando no hay destino ni paradero cierto. Abel siguió por la calle que bajaba y dobló en la esquina para salir a Paseo de los Girasoles. Revisó el número y caminó unas cuantas calles más. Llegó al 438 y llamó a la puerta varias veces. Diga, dijo la mujer gordita de pelo corto canoso. Perdone, ¿aquí vive Paty? Sí, respondió la mujer con desánimo. ¿Y no estará por ahí? Está en la clínica, repitió de la misma manera. Es que ando buscando a Hortensia, dijo por fin Abel. Ya le hablo, replicó la mujer. Hortensia salió y se detuvo en la puerta. Vio a Abel como si en realidad estuviera viendo a un muerto resucitado y Abel vio a Hortensia también como si en verdad caminara sobre un abismo. Estuvieron unos segundos detenidos el uno frente al otro, buscando palabras para romper el muro que los separaba. Por poco y no llego, adelantó Abel finalmente. ¿Y eso?, contestó Hortensia. Hubieras visto por las que pasé, dijo Abel. No me digas, contestó Hortensia. Y luego añadió: pero pásale, no te vayas a deshidratar con este solazo. Abel entró y siguió a Hortensia por un pasillo largo hasta el cuarto del fondo. Dejó la maleta y la guitarra a un lado del ropero y se sentó en medio de la cama. La habitación era pequeña y servía también como cuarto de servicio. En una esquina podía verse una lavadora enmohecida y un burro de planchar, además de un tendido de manteles recién planchados. Abel se levantó la camisa y le enseñó a Hortensia la cicatriz en el costado izquierdo, más abajo de la tetilla. Es el recuerdito que me dejó el hijo de su perra de tu hermano, dijo. Hortensia permaneció en silencio un momento y luego, cambiando el rumbo de la conversación, acotó: ¿ya comiste? Ni un camote, contestó Abel sudando. Salieron del cuarto y fueron a la cocina. Hortensia sacó del refrigerador una bolsa donde guardaba huevos, jamón, algo de fruta, un pedazo de carne y otras pocas viandas más. A la amiga de Paty no le gusta que mezcle mi comida con la suya, dijo mientras sacaba un par de huevos y una loncha de jamón. Abel cerró la puerta del refrigerador y se sentó a la mesa. Desde que puso los pies en la casa notó un aire enrarecido, pero no dijo nada. Mientras Hortensia freía los huevos, Abel vio el acentuado abultamiento de su vientre. Hortensia tenía ojeras y estaba un poco trasijada. Durante la comida estuvieron rodeando el tema principal con conversaciones sin importancia. Ninguno de los dos encontraba la forma de llegar al punto, aunque estuvieran en el punto. Quizás era mejor así. Abel había escuchado en algún sitio que cuando las parejas están en riesgo de caer de espaldas, lo mejor es echar hacia delante sin decir nada. Y eso era lo que estaba haciendo. Me vine con un trailero, intervino resquebrajando la quietud. Hortensia removía apáticamente los huevos con el tenedor. Un tipazo de hombre, aunque al principio me dio mala espina, agregó. Me gustaría saber lo que se siente conducir un tráiler, dijo esta vez para sí. Ir por una carretera que no tenga ni ciudad de salida ni ciudad de llegada. Avanzar y avanzar sin detenerme. Y que eso, al contrario de la vida y de todas las cosas que hay en la vida, no se acabara nunca. Que el tiempo fuera solamente un manojo de kilómetros recorridos y que todas las mujeres que fuera encontrando a mi paso fueran una sola mujer. Un tipo de un puesto de tacos dijo que podía conseguirme trabajo, señaló Abel. ¿De cuál taquería?, preguntó Hortensia sólo por preguntar. De una que está a la orilla de la carretera. Ah. Voy a ir para ver qué, dijo Abel. Ojalá que tengas suerte, dijo Hortensia con mustiedad mientras recogía los platos sucios de la mesa y le informaba que hoy a las seis tenía cita con el ginecólogo. Repentinamente, de una de las habitaciones salió recién ataviada la amiga de Paty. Hortensia y Abel la vieron dar el portazo y abandonar la casa sin despedirse.

Yo no pude asistir a la boda de mi hermano Ismael. Se unió en matrimonio con una prima segunda y para justificar el lazo incestuoso se decía que era lejana porque había nacido en Baja California, a unos mil kilómetros de Colima. Y si fuera nuestra vecina la hija de la chingada, qué, recuerdo que espetó mi padre. Dicen que entre primos y parientes... Mi madre no lo dejó que terminara la frase. Su mirada no pudo contener la inquina. Mi prima segunda se llama Olga y es diez años más joven que mi hermano. No recuerdo por qué no pude ir a la boda. Estaría enfermo o desganado. Debí haber andado en otros menesteres. De cualquier modo, por ser el más chico de la familia, mi vida transcurrió lejos del andar de mis hermanos, que me sacaban algunos quince rodales. A mí no me tocó, por ejemplo, arrear ganado en el rancho El Mezquite sino pedalear una bicicleta en el Parque Corregidora. La primera bicicleta que tuve me la regaló mi hermano Bulmaro el día que compró un Ford Fairlane azul modelo 1972. Ahora es suya esta bicicleta, mi jetón, dijo. A cambio de ello, yo debía lavarle el coche todos los fines de semana, cuando salía a las tertulias del Casino de la Feria. Me sentaba al volante del Ford y me imaginaba tirando mundo por la Madero, deteniéndome en cada esquina para levantar putillas. Bulmaro mi hermano siempre anduvo bien ataviado, sus camisas de cuello almidonado y sus zapatos brillosos. En las noches le gustaba visitar El Gato Negro o el bule del Chino Cuevas, famoso tratador de blancas de aquel entonces. Yo veía salir a Bulmaro mi hermano al atardecer y llegar hasta altas horas de la madrugada. Más de alguna vez oyó las quejumbres ocasionadas por el dolor de oído y entonces se sentaba en el borde de mi cama y me palmeaba la espalda. Ahorita le traigo su ajito caliente, mi jetón, decía. Pronto dejaría la casa en busca de mejores aires. Lo enviaron como gerente de una planta de Petróleos Mexicanos en Veracruz, donde, apenas llegar, aplacó con la sola punta de la verga, alguien así lo diría después, un conato de huelga. Mi hermano Ismael y mi hermano Bulmaro eran distintos. Casi polos opuestos. Mi hermano Ismael estudió leyes y pasó la mitad de su vida memorizando códigos y jurisprudencias arriba del guayabo de la casa. No era putañero ni le gustaba el pisto, y aunque tampoco era pendejo, nunca tuvo el carácter de mi hermano Bulmaro. Casi polos opuestos. Cuando se casó puso un despacho en una de las casas que heredó mi madre del abuelo Cornelio, en la calle Nicolás Bravo, pero le fue peor que a socialista cubano. Entonces mi tío Alberto, magistrado del Supremo Tribunal de Justicia, consiguió para él un puesto en el Ministerio Público. Por Ismael mi hermano empecé a trabajar aquí también. Afuera de la casa de los Caraballo, mi madre me dijo: tu hermano Ismael tiene un trabajo para ti en la Procuraduría. Así que sube inmediatamente al carro, por favor. Mi madre estaba irreconciliable. Hablaba entrecortando las frases.

Recuerdo que titubeé entre abandonar la casa de los Caraballo y con ello a don Rafael o subir al automóvil con los ojos vendados. La nena me miraba desde la ventana de su habitación, en el segundo piso. Hubiera querido decirle más de dos palabras, pero frente a mí estaban, otra vez, dos puertas. Una delante y la otra a mis espaldas. Dos puertas cerradas. Puertas iguales a otras puertas. Por ellas podía entrar corriendo a la casa de los Caraballo o volver a Colima asistido de mi madre. Aunque hay puertas que no se abren nunca, opté por subir al automóvil. Con los ojos vendados. Luego Ismael mi hermano me pediría que me presentara de inmediato en la oficina del procurador, con quien había hecho una cita anticipada. La secretaria me hizo entrar y yo descubrí al fondo de una enorme oficina a un hombre de una delgadez cadavérica, los ojos saltados y la nariz chata. Era el doctor Celestino López. Me apoltroné frente a él y, después de intercambiar algunos comentarios sobre cualquier cosa, indagó sobre mis estudios. Le dije que había terminado el quinto semestre de derecho. ¿Y quiere seguir estudiando, joven? La mano del procurador se ejercitaba con una pelotita de hule. Sí, dije sólo por decir. Eso me gusta, replicó guardando la pelotita en una caja de madera. El procurador de Justicia, que había conseguido erradicar el secuestro en la ciudad, me informó que era mía una plaza de policía judicial adscrito a la mesa cuarta, cuyo titular era mi hermano Ismael. ¿Sabe golpear la máquina? Sí, dije sólo por decir algo otra vez. Eso me gusta, replicó dando dos golpes sobre el escritorio. El doctor Celestino López era originario de Nayarit. Antes de ocupar el cargo de procurador en Colima había sido director del Centro de Readaptación Social de su ciudad natal, aunque su carrera empezó a los veintidós años, cuando lo nombraron director de la cárcel de las Islas Marías, fundada en 1905 por decreto emitido por don Porfirio Díaz. Cuentan que siendo director del penal de Tepic, el procurador protagonizó uno de los actos más sangrientos en la historia de los reclusorios del país. Lo acusaron de haber acribillado a 35 internos que se amotinaron en exigencia de mejores condiciones carcelarias. El doctor Celestino López, harto de los despropósitos, mandó traer a su oficina al cabecilla de los insurrectos. Cuentan que lo hizo hincarse con las manos esposadas en la espalda y la cabeza hacia atrás y, luego de meterle la punta de sus botas en las costillas, y de machacarle un hombro con un martillo, enterró en los ojos del incendiario sendas agujas. El hombre se revolcó en el suelo como una cucaracha y sus bramidos se oyeron hasta las tabacaleras de San Blas, cuentan. Lo que me gusta es que usted parece traer los pantalones bien puestos, joven, dijo despidiéndome con un apretón de manos. Yo no entendería hasta mucho tiempo después lo que querían decir sus palabras. Muchas gracias por todo, doctor López, dije y cerré la puerta tras de mí. Bajé las escaleras y me incorporé ese mismo día a mis labores. Mi hermano Ismael me explicó las que serían mis obligaciones básicas, especialmente en lo referente a la integración de la averiguación previa. Había que levantar la denuncia o querella, luego citar testigos, ordenar pruebas periciales, citar al denunciado y después estudiar el caso para determinar si tipificaba o no como delito, pero de esto último se encargaría Ismael mi hermano, que para eso era el agente del Ministerio Público. Yo tenía que dar fe ministeriales, levantar testimoniales y demás diligencias pertinentes, cuando hubiere lugar, frase que no debe olvidarse nunca. Ha lugar o no ha lugar, no lo olvides, decía la voz estentórea al fondo de mí. Tú vas explicándole pian pianito, Adela, pidió mi hermano Ismael. Sí, licenciado. Y yo lo aprendería pronto. Desde ese primer día, Adela me entregó un legajo de copias al carbón con las diferentes actas que se levantaban dentro de la averiguación previa, su orden y seguimiento. Cuando gires un oficio a servicios periciales no sólo debes agregar copia de recibido en la averiguación previa sino además levantar una constancia que indique que el oficio número tal se ha girado tal y cual día. Sí, Adela. Del mismo modo, cuando recibas el informe o peritaje de servicios periciales debes asentar constancia del número de oficio y la fecha de recepción. La declaración del presunto responsable viene después de la declaración de los testigos, recuerda. Sí, Adela. El presunto responsable debe estar siempre asistido de su abogado defensor. Y si no cuenta con abogado, debe asistirlo el defensor de oficio, pero siempre previo consentimiento del presunto responsable. Sí, Adela. Yo escuchaba y anotaba en una libreta todas las instrucciones para evitar cualquier error. Luego, me instalé en un escritorio junto al mostrador, en uno de cuyos cajones guardé el legajo de copias y el código de procedimientos penales.

En Ismael mi hermano había empezado a notar hábitos a los que no conseguía otorgarles la dimensión debida. Pero allá él y sus zapatos, pensaba. Por mi parte, estaba concentrado en hacer mi trabajo lo mejor que fuera posible, y más ahora que empezaba a encontrarle regusto a las necropsias y a los levantamientos de cadáver. Al principio se enredan las tripas en la garganta, pero transcurrido un tiempo considerable uno puede celebrar su aniversario de bodas sobre una barriga destazada. Don Chuy, por ejemplo, tiene veinte años de prosector en la Procuraduría. Es un hombre delgado, de bigote de morsa y sonrisa angelical. Su mirada está como escondida detrás de una malla para espantar moscas. Mira pero no mira. Lo miran pero en realidad no lo miran, porque la malla para espantar moscas es como el escudo de Aquiles: no le entran ni lanzas ni flechas enemigas. Don Chuy vive del otro lado de la vida pero de este lado de la muerte, en esa frontera en que pasa todo sin suceder nada. Muchas veces lo escucho contar chistes mientras va abriendo los cadáveres en canal. Del bajo vientre al cogote. Su mano pesa lo mismo que un escalpelo, entra en el cuerpo como si entrara en un costal de cebada. El cuchillo bien afilado de don Chuy va deshaciendo los pliegues del pellejo y al arribar al esternón, donde hace intersección el costillar, se queda atrancado entre la masa cartilaginosa, de manera que hay que golpearlo en el lomo con un mazo para que continúe su avanzada. Me va usted a disculpar, dice don Chuy a esa masa que empieza a expedir un tufillo hediondo. Y después de decirlo coge el mazo y golpea con fuerza como si se tratara de abrir una puerta atrancada. Al Deshuesadero, como le llaman, lo conforma una plancha metálica enclavada justo en el medio del recinto. La plancha metálica contiene pequeños agujeros que funcionan como drenaderos de la sangre y el agua con que se limpian los cuerpos antes de auscultarlos. Les doy su perjumadita para que no los encuentren tan indispuestos sus familiares, señala un don Chuy complaciente. Colgadas sobre clavos en la pared se alcanzan a ver pinzas de distintos tamaños, un hacha pequeña, un formón y una sierra para huesos. El ruido de la sierra en contacto con el hueso craneal es realmente revelador. Después de arrancar el cuero cabelludo de la cabeza, tal como si se arrancara a un coco la cáscara, comienza el cometido de la sierra, que entra chirriando en el cráneo expidiendo un olor a hule quemado. En ocasiones, cuando se traban sus dientes en las junturas del hueso, debe jalarse a tirones y volver a barrenar. Así hasta que la tapa del cráneo da de sí, expulsando un coágulo de sangre oscura y pestilente. Entonces uno puede ver la masa gelatinosa que es el cerebro y puede uno también, de querer, zambullirle los dedos para sentir su blandísima textura, parecida a la de un algodón de azúcar. El olor del Deshuesadero también es revelador, porque no sólo mezcla el hedor de la sangre sino el tufillo de la carne inerte y las demás lechosidades del cuerpo. Pese al aparente trabajo sucio, don Chuy lleva una relación decorosa con sus muertos. A algunos los trato mejor que a mi vieja, verdá de Dios, dice. En alguna ocasión tuvimos que levantar el cadáver de una muchacha que se había suicidado. Nos avisaron del suceso a las dos de la madrugada. La llamada la hizo su madre, quien fue la primera que la encontró. Llegamos al lugar de los hechos abastecidos con cintas métricas, guantes de látex, tijeras. Al entrar en la habitación, descubrimos a la muchacha pendiendo de una de las vigas. Sus ojos miraban fijamente el suelo de concreto. A sus ojos les quedaba un remedo de brillo apenas. La madre argumentó que horas antes habían tenido una discusión. La muchacha de escasos veinte años insistía en salir esa noche a un baile y la madre se negó rotundamente. Es verdad que discutieron pero sin pasar a mayores, dijo. Yo nunca pensé que fuera a llegar a tanto, señor licenciado. La mujer se llevó las manos a los ojos abotagados de lágrimas. No se preocupe, señora, intervino el comandante para tranquilizarla. Descolgamos a la muchacha del cable, la embalamos en una sábana blanca y la condujimos a la Procuraduría para la necropsia de ley. Al colocar sobre la plancha metálica el cuerpo del delito, vi que el gesto displicente de don Chuy se transformó en una expresión de euforia. Pero mira nada más, chiquita, la pendejada que hiciste. Don Chuy acomodó horizontalmente los brazos de la muchacha y empezó a acariciar sus piernas. Desde una banca de azulejo donde preparaba la fe ministerial, pude ver cómo don Chuy metió sus narices en el cuerpo sin vida de la muchacha. Fue oliéndola de la punta de los pies a los labios fríos con una delicadeza seductora. El movimiento de su nariz era el de un perro husmeando en busca de su presa. Se podían ver sus narices olfateando la tierra. Don Chuy se detuvo en el pubis y lo lamió varias veces. Lo mismo hizo con los pezones y los labios, que succionaba con fuerza, dejándolos escurridos de saliva espesa. Acarició su pelo al momento que profería unas palabras inaudibles, con las cuales seguramente se disculpaba por anticipado de lo que iba a hacer. Venga, mi niña. Don Chuy acomodó el cuerpo de la muchacha en el centro de la plancha. Después la bañó con agua fría, pasando sutilmente la palma de sus manos por sus extremidades. Cuando hubo terminado, fue donde el médico forense para notificarle que todo estaba listo para empezar. Yo he visto pasar por esta plancha a muchos hombres y mujeres, incluyendo niños atropellados o ancianos que mueren en sus casas sin que nadie lo sepa. Ancianos que después de cinco o seis días son encontrados inflados como vacas, con los ojos botados y las extremidades amoratadas, y para quienes no hay mejor amparo que una fosa común, porque ni a los zopilotes les interesan. Los zopilotes, para quien no sepa, son los comisionados de las agencias funerarias. Sus cuerpos también parecen cajas de muerto. Altos y crepusculares. No hacen sino fumar y mascar chicle. Nadie sabe cómo lo hacen, pero no bien ha llegado el cadáver se les ve rondando en las oficinas de la Procuraduría a la espera de algún familiar del occiso con intenciones de contratar sus servicios. La regla de oro es no hablar con ellos, sino dejarlos planear alrededor de la carne pestilente a la espera de algún benefactor. Son aves de mal agüero, amor, me advirtió Adela una noche. Y luego, extrañamente, sacó el nombre de Ismael mi hermano sin venir al caso. Adela estaba desnuda de espaldas a mí. Era una mujer madura, de algunos cuarenta y cinco años, pero apasionada y cachonda como una muchacha de veinte. Vivía sola y tenía dos hijas grandes, que vivían con el padre. La mayor estaba para comérsela de un bocado. Adela me decía yerno cuando estaba ella (la hija mayor) presente. La muchacha no escareaba. Me gustaría que te cambiaras de mesa, me dijo de súbito, ladeando su cuerpo hacia el ventanal. ¿Y eso? Adela giró la cabeza y miró sobre el hombro. Mejor que no te vean muy cerca del licenciado. Adela tenía tiempo diciéndome lo mismo, pero cuando trataba de ir más allá, cambiaba la conversación. Es mi sexto sentido. Su voz se escuchaba melosa. Pues el mío no me dice nada, contestaba agarrándome el bulto. Ella se reía y me decía que era un cochino.

En realidad, parecía que Ismael mi hermano no andaba en buenos pasos. En varias ocasiones lo llegaron a encontrar en la calle a altas horas de la noche. Como empezaba a fumar más y a dormir menos, Olga me llamó un día a la oficina para ver si podía hablar conmigo. Nomás no quiero que le digas nada de esto a Ismael, me advirtió. No te preocupes, Olga, seré una tumba, contesté un poco en broma un poco en serio. Quedamos en vernos un lunes a las seis de la tarde en la Piedra Lisa, aprovechando que Ismael mi hermano estaría en la oficina redactando resoluciones. Llegué puntual. Olga vestía pantalón de mezclilla entallado y blusa blanca y llevaba el cabello húmedo. Me pidió sentarnos en una banca apartada y acepté. Olga empezó hablándome de una hermana suya que vendría a fin de mes a cerrar el contrato de compra de un terreno, luego me habló de las dificultades que habían encontrado para firmar las escrituras y después pasó inmediatamente a decirme que las cosas con Ismael no iban del todo bien. Tú has visto cómo se comporta conmigo. Sí, dije, aunque en realidad no hubiera visto nada. Las veces que me han invitado a comer yo he visto en mi hermano Ismael a un hombre común y corriente, además de un padre ejemplar que no ha desempeñado otro papel en su matrimonio que el de ser un mero proveedor. Me maltrata mucho y nada de lo que hago le parece, continuó Olga. El trabajo en la Procuraduría es muy tensionante, Olga, dije tratando de llevar la conversación hacia otras órbitas. Yo lo sé, mijo, dijo Olga poniéndome las manos sobre la pierna, pero hay límites, hay límites, no puedes llevarte los problemas del trabajo a tu casa ni los problemas de tu casa al trabajo. Me molestó la frase hipersobada que acababa de pronunciar Olga, pero aún así resolví explicarle que tomara las cosas un poco con más calma. Le argumenté que mi hermano Ismael, pese a todo eso que decía, era un buen hombre. Mira, prima, te acaba de comprar un carro nuevo y está pensando construir una casa en el ranchito para llevarlos a pasar los fines de semana. Olga me cogió de las manos, que apretó contra sus piernas, y me dijo: ¡pero la mujer dónde queda, Abel! Lo que yo necesito es sentirme mujer y tu hermano parece que pretendiera lo contrario. Olga volteó la mirada hacia la explanada y dijo a media voz: hace más de tres días que nada de nada. Yo creo que anda con la secretaria esa, remató. Cuando Olga se acercó más a mí y empezó a mirarme con ojos distintos, yo determiné decirle que si lo que quería era sentirse mujer entonces contara conmigo, pero que de esto ni una palabra a nadie porque entonces sí se torcerían las cosas. Olga se relajó súbitamente. Sus mejillas paliduchas recobraron el color. Se recargó en la banca y echó un poco hacia atrás la cabeza, como pretendiendo alcanzar con la vista una nube fugaz. En ese instante comprendí el motivo real de las invitaciones a su casa, aprovechando la generosidad de Ismael mi hermano. Pero más allá de esto, me preocupaba no tanto la puerta que se me abría hacia Olga sino la puerta que estaba cerrándosele a Ismael. Me sentí como un trailero al que se le cae uno de los contenedores encima de un automóvil y no tiene otra opción que salir huyendo del lugar sin pensar en la posibilidad de salvar a los tripulantes. Olga se despidió de mí con un beso en la boca y me dijo que luego me buscaba. Le dije que sí y me fui pateando piedras.

La noche de ese mismo día encontré a Morentín en una de las callejas del centro y nos fuimos a tomar unas cervezas a un bar de putas. Estuvimos bailando y bebiendo un buen rato hasta que Morentín llamó al mesero para mandar traer a una güera de tetas como dos templos que estaba sentada muy sola en un rincón del bar. La güera vino y se sentó en medio de los dos, con la mirada perdida. Nos dio un beso a cada uno en la boca y luego pasó a ponernos la mano sobre el pájaro. A las tres de la madrugada salimos hechos unas papas cocidas, bien copeados y sin un peso partido por la mitad porque la mujer de tetas como dos templos bebía como si se fuera a acabar la reserva de vodka en el mundo. La mitad de lo que quedaba de esa noche la pasé en el baño, embrocado cual gallo que clava el pico. Al siguiente día me levantó mi madre diciéndome que habían llamado de la oficina. Que me presentara de inmediato. No tuve tiempo de bañarme ni de cambiarme de ropa, porque además había dormido vestido. En la oficina me dijo Ismael mi hermano que me estaban esperando nomás a mí para ir a levantar otro 10-13. Antes de partir, le di un chupete a Adela en el cuello y le dije que ya nos vengaríamos prontito otra vez, mamacita. Acto seguido bajé corriendo a Servicios Periciales. Subí a la camioneta. Durante el trayecto Morentín me dijo que habían encontrado un muerto en la colonia Independencia. Se presume que se encuentra en estado de descomposición, compadre. Morentín hizo una mueca de asco. Lo descubrió una vecina encargada de compararle la despensa cada fin de semana. Morentín se colocó los lentes oscuros y se enfundó la Beretta al bajar de la camioneta. La mujer señaló el camino con un movimiento de cabeza. Al viejo lo encontramos sobre la cama, en una esquina del único cuarto que conformaba la casa. Cuatro muros nomás y, dentro de esos cuatro muros pelados, la cocina, la mesita del comedor, un excusado y una regadera a la intemperie, un televisor blanco y negro sobre un buró de madera descascarada y unos trastos despostillados sobre un pretil. Encima de la cama, el viejo pestilente con los huevos inflados, la piel apergaminada y los ojos salidos como dos canicones de jocoque seco. Nos tuvimos que ajustar el cubrebocas para soportar la fetidez expedida por el cuerpo putrefacto. Según una de las vecinas que hablaba en voz baja con el comandante, al viejo lo habían visto desde hacía tiempo meter en su casa *muchachitos*, a quienes hacía regalos y daba dinero a cambio de sabe Dios qué, comandante. Pero señora, contestó el comandante en clara ofensiva, cómo será eso si se nota a leguas que el viejo cabrón éste no tenía ni para tragar. En la necropsia, sin embargo, descubrieron en la espalda del occiso unas laceraciones y otras heridas producidas al parecer por un objeto punzocortante, lo que produjo que se iniciaran más a fondo las averiguaciones pertinentes. Viejos lujuriosos hay pa' aventar pa' arriba, pero yo aquí se los quito en un plis plas, dijo don Chuy mientras metía el cuchillo en la raíz de los huevos inflados del viejo.

Esta tarde, al salir de trabajar, cogí un minibús en la glorieta y me fui pensando durante el trayecto (ahora pasamos por el Panteón Municipal, ahora por la glorieta del DIF, ahora bajamos por la avenida Pedro Galván) en muchas cosas a la vez, como siempre. Un pensamiento me llevaba a otro, y el otro al siguiente. Pensamientos sin orillas. Pensamientos aglutinados en imágenes, primero, y en ideas, después. Pensamientos que pensaba en la forma de una desaparición. Los pensamientos desaparecían sin dejar rastro para dar pie a otro pensamiento que desaparecía sin dejar rastro para dar pie a otro pensamiento que desaparecía sin dejar rastro. Por ejemplo: los tacones de una mujer de pelo largo que vi a través de la ventanilla desapareció sin dejar rastro al llegar al cruce de la calle 5 de Mayo para dar pie a las escaleras empinadísimas de las pirámides de Chichén-Itzá que desaparecieron sin dejar rastro al llegar a helados Holanda para dar pie a la pistola de mi hermano Bulmaro disparando contra la humanidad de Cecilio chico que desapareció sin dejar rastro contra esquina de Casa de Gobierno para dar pie a los faros de un tráiler iluminando una carretera distante.

Cuando llegué a casa, mi madre me anunció alarmada que a mi hermano Felipe le habían disparado en dos ocasiones desde una camioneta roja al parecer con placas de Michoacán, pero que gracias a Dios había resultado ileso.

El dueño de la taquería era un hombre que daba la impresión de haber llegado ahí después de mucho picar piedra. El cansancio se le notaba en las manos ásperas. Era un hombre alto, de piel blanca y de pocas palabras que descargaba unas rejas de refresco de una camioneta vieja marca Toyota. Cuando Abel Corona se encaminó a él y le dijo que buscaba trabajo, el hombre dejó las rejas a un lado del refrigerador y le contestó con parquedad que no tenía. Posiblemente mi hermano pueda tener algo en el supermercado, añadió. Carmelo se ofreció a llevarlo. Carmelo era un tipo de buen corazón, cuya voz golpeada y la estructura de su corpachón no guardaban ninguna relación con su carita y su sonrisa de niño. Durante el trayecto al supermercado, Abel preguntó a Carmelo dónde podría empeñar unas alhajas. Carmelo le informó que para eso debía ir directamente a Monterrey, donde estaba la matriz del Monte de Piedad. En la respuesta de Carmelo se descubrió cierta desconfianza, como si frente a él tuviera a un ladronzuelo de poca monta. Por eso, Abel aprovechó la oportunidad para decirle que había huido de su casa debido a unos problemas con su padre. A decir verdad me echó literalmente a patadas, mintió Abel. Por ello mi madre, en su desesperación, me dio algunas de sus alhajas para que me ayudara un poco, mintió otra vez. Carmelo no quiso preguntar más, porque obviamente no creyó los argumentos del muchacho. En lugar de eso, prefirió hablar de las bondades de los Robles, con quienes llevaba trabajando toda la vida. Gracias a su ayuda pude comprarme la casa que ahora tengo, compadre. Carmelo había empezado de despachador en la gasera y luego trabajó como carnicero en el supermercado de Pedro. Después dejaría la carnicería para hacer fuerte a Javier con la taquería. Pedro me lo pidió. Ayuda a mi hermano, me dijo. Él te necesitará más que yo. Carmelo tenía dos hijos, de los que hablaba con entusiasmo. Su mujer trabajaba en la fábrica de ropa desde hacía más de diez años. Un trabajo agotador y mal pagado, pero en el que al menos gozaba de buenas prestaciones. Carmelo le ofreció a Abel su casa. Le dijo que si no tenía almohada dónde meter la cabeza, nomás tenía que decírselo para ajuarearle una de las habitaciones. Muchas gracias, Carmelo, pero estoy en casa de un amigo, mintió Abel de nuevo. Abel Corona no comprendía en realidad por qué estaba mintiéndole a ese hombre que en menos de diez minutos le había contado prácticamente toda su vida, incluyendo el lamentable episodio de su alcoholismo, del que logró salir gracias también a la ayuda de los Robles. Era tan fácil decirle me vine siguiendo a una mujer. Pero no, ante eso Abel levantaba una pared de piedra para luego refugiarse detrás de ella.

¿No andará por ahí Pedro, Lucio?, preguntó Carmelo cuando llegaron al supermercado. Anda en la bodega, dijo Lucio, pero ahorita le hablo. Lucio se sacó el mandil, lo colgó en un clavito y fue a la bodega. Carmelo no pudo resistir las ganas de coger el cuchillo carnicero y filetear unos trozos de carne que estaban sobre la mesilla de cortes finos. Metía el cuchillo en la carne con maestría y extraía unos filetes delgados y sin aristas. Todavía me acuerdo, dijo sonriendo. Mientras tanto, Abel recorría la tienda de una a otra orilla, deteniéndose en los anaqueles de comida enlatada y en los refrigeradores de leche. Se detuvo, de pronto, en la muchacha de la caja registradora que permanecía con la vista perdida en la calle polvorienta. La muchacha le recordó a otras muchachas que había visto en otros supermercados como éste y que también estaban con la vista perdida en la calle polvorienta. No se sabe qué piensan esas muchachas ni nadie podría adivinarlo, pero sin esas imágenes de muchachas con la vista perdida en la calle polvorienta el mundo no sería el mismo. Pedro apareció abruptamente por la puerta del fondo y, después de limpiarse las manos en el pantalón, saludó a Carmelo con un abrazo apretado. Era un hombre grandazo también, como su hermano, pero la lozanía de su rostro reflejaba que le había ido mejor en la vida. ¿Y ese milagro, compadre?, dijo Pedro al ver a Carmelo. Nada de eso, contestó Carmelo. Después de intercambiar algunas palabras sobre esto y aquello, Carmelo fue al grano y le dijo que en realidad venían en busca de una chamba para este muchacho, y jaló a Abel por el hombro. Ajá. Pedro vio a Abel de arriba abajo y le preguntó que qué sabía hacer. Abel contestó que de todo, don Pedro. Bueno, entonces mañana vente a las seis de la mañana para que le ayudes al Chori a sacar los chicharrones. Abel dio las gracias y no quiso investigar más detalles acerca de sus responsabilidades. Peor es nada, pensó. ¿Y tu mujer? Pedro había concluido su entrevista con Abel y ahora continuaría con Carmelo, que permanecía cruzado de brazos. Pues ahí sigue dándole duro en la fábrica. Dile que me haga caso. Te aseguro que no se va a arrepentir. Si ya sé, Pedro, pero son muchos años. Pero tú conoces a mi madre. Sí, la conozco. Ella necesita una compañía como la de tu mujer. Sí, y por ésta que estoy seguro. Pedro y Carmelo estuvieron hablando todavía por un espacio de quince minutos, tiempo en el cual Abel aprovechó para echar un vistazo a los alrededores. No le pareció mal el supermercado. Estaba bien surtido y aclientado. Al despedirse de Pedro, Carmelo y Abel salieron a la calle como creyendo que algo se les había olvidado. ¿No sientes como que olvidaste algo, compadre? Sí, contestó Abel. Siempre me pasa lo mismo. Vengo y cuando salgo siento que algo se me ha olvidado. Carmelo palmeó el hombro de Abel y, antes de partir, le dijo que cuando quisiera hincar el diente gratis, no dejara de ir a la taquería. Abel dijo que desde luego que sí, se dio la media vuelta y volvió a la casa para la comida. Las calles del pueblo empezaron a serle familiares. En su cabeza se había desplegado un mapa del pueblo, que él trataba de rellenar con nombres de negocios o instituciones de gobierno. Estaba lejos de su casa, lejísimos, pero de eso sus pasos parecían no darse cuenta, porque caminaban sin rumbo. Al entrar en la casa encontró a Hortensia en una mecedora, hojeando una revista de chismes de farándula. Vestía una bata café de tela delgada y, por el sopor que vislumbró en su rostro, parecía que estaba muriéndose de calor. Te estaba esperando para comer, dijo incorporándose. Y luego, sin poder ocultar la desgana, agregó: ¿cómo te fue? Me dieron la chamba, contestó Abel cerciorándose de que no hubiera nadie en la casa. Qué bueno. Abel se acercó a Hortensia y la cogió de un zumbón por la espalda. Le dio un beso en la nuca y apretó sus senos con morbo. Hortensia se quitó las manos de encima y le dijo que los podían ver. En la recámara está Rodolfo. Y aunque estuviera el papa Juan Pablo II, replicó Abel como si hubiese descubierto algo oculto en las palabras de Hortensia. Mientras Hortensia servía la sopa de lentejas, Abel fue a la habitación, abrió su maleta y sacó un fajo de billetes, que guardó en la bolsa delantera del pantalón. Volvió por el pasillo y al cruzar por la habitación vio tumbado en la cama, sin zapatos, a Rodolfo, hijo de la amiga de Paty. No era un muchacho mal parecido y tendría más o menos su edad, por lo que no pudo evitar sentir un atracón en el pecho. Para calmar el arrebato, Abel le pidió a Hortensia que le explicara un poco más cómo estaba aquí la situación. Hortensia conocía perfectamente a Abel y de inmediato se dio cuenta que Abel estaba celoso y que, en el momento más inesperado e inoportuno, le saldrían dos toros bravos que lo harían tumbar cualquier cerco de piedra. Abel podía parecer tranquilo, y ser amable y complaciente, incluso carismático, pero todo ello de dientes hacia fuera. De dientes hacia adentro asilaba un Jack el Destripador. No lo contradijeran o le quisieran ver la cara porque blandía su cuchillo carnicero para asestárselo al primero que se le saliera al paso. Por eso, Hortensia le explicó que en la casa vivían nada más Paty y Mireya, la amiga de Paty, y que Rodolfo sólo venía de visita de vez en cuando. De hecho, ya tenía como mil años que no venía. Rodolfo vive con su padre, pero ayuda a Mireya en el negocio. Son dueños de una pizzería y una zapatería en los Bodegones. Rodolfo se encarga de atender la zapatería por las mañanas. Paty es enfermera en el Seguro Social y Mireya se dedica a administrar los negocios. Por eso a cada rato van a Laredo a traer mercancía, agregó Hortensia. ¿Y Tere?, continuó indagando Abel. Tere vive en la Reyes Heroles, una colonia cerca del panteón. ¿Sola? Sí. Administra un comedor en la constructora de los Robles. Hace rato habló y me dijo que cuando estuviéramos más libres fuéramos a visitarla. Cuando Hortensia puso la botella de salsa sobre la mesa, Abel extrajo el fajo de billetes y se lo extendió. Ten para que compres un refrigerador. ¿Y para qué? Hortensia quiso persuadirlo de que era un gasto innecesario. Pues para que no vayamos a pegarle una gonorrea a la marimacha esa. Hortensia cogió el dinero y, para no seguir cavando en el mismo agujero, prefirió decirle que Paty podía acompañarlos a Monterrey, pero que eso sería hasta pasado mañana porque va a estar de guardia. Abel dijo está bien con la cabeza. Luego, casi de manera automática, no pudo evitar confesarle a Hortensia que estaba arrepentido. ¿De qué?, preguntó Hortensia. De nada. Abel prefirió guardarse lo que iba a decir. A los pocos minutos, Abel y Hortensia fueron a la habitación, que olía a talco. Mientras Hortensia doblaba la ropa limpia, camisas y pantalones, calcetines y bragas, Abel colgaba su ropa en los ganchos del clóset. Ambos seguían hablando como desde una cabina telefónica, sin saber a ciencia cierta la ubicación ni la distancia que uno tenía del otro. Hortensia y Abel no conseguían llegar al punto de intersección ni a las razones que los habían vuelto a unir. Se escurrían como dos peces ágiles que escapan de las manos. Cada uno de los acontecimientos que los enlazaban transcurrían en una especie de limbo. Estaban cercados por espejos y paredes y sus gestos o movimientos carecían de junturas. Era como besarse teniendo de por medio el cristal de una ventana. Un beso ficticio, inexistente. Y todo esto parecía deberse más que a una cuestión de inseguridad, de miedo.

Mientras Hortensia metía unos calcetines en el armario, Rodolfo entreabrió la puerta y le preguntó si había visto su reloj. Se lo dijo con mucha familiaridad. No, contestó Hortensia. Ante la negativa, Rodolfo le explicó que lo había dejado antes de ayer sobre el burro de la plancha, pero que ayer que lo buscó no lo encontró. ¿No lo habrás dejado otra vez en el baño?, preguntó Hortensia sin darse cuenta que sus palabras la contrariaban. Voy a ver. Rodolfo cerró la puerta. Abel se dio cuenta de que ni siquiera lo había saludado. Lo bueno es que no viene desde hace como mil años, pensó. Se guardó la rabia para otra ocasión, que nunca falta, y dedicó el resto de la tarde a escribir en su libreta negra de pasta dura algo sobre la muerte del Cabezón, que empezaba a convertírsele en una imagen terca, intransigente, misma que se le aparecía en la médula de la cabeza en la forma de un cristalazo. Cristales rotos que le producían escalofríos en las coyunturas del cuerpo.

Paty llegó pasadas las nueve de la noche, pocos minutos después de Mireya, quien continuaba con la misma actitud recelosa del principio. Después de anunciarle con un grito que ya había llegado, asomándose un poco por la abertura de la puerta de su habitación, se encaminó con Abel y lo saludó con efusión, dándole un abrazo parecido al que se dan los amigos cuando se reencuentran, aunque en este caso Abel y Paty se estuvieran encontrando por primera vez. Paty era una mujer morena, chaparrita y de pelo corto que tenía también un tic en el ojo izquierdo. Un tic parecido al de Abel. Era la hermana mayor de Hortensia y había vivido ya en Sabinas Hidalgo alrededor de diez años. Paty no llevaba en el rostro la mueca de desagravio de Mireya, aunque Hortensia le advirtió a Abel que tenía también su carácter, sobre todo cuando se le pasaban las copas. Pos dónde te conseguiste a este muchacho guapetón, Horte. Paty bromeó al tiempo que descascaraba un plátano. Hortensia estiró un poco la comisura derecha sin decir nada. Si con estos zapatos hay muchos por todos lados, Paty, replicó Abel recargando el brazo sobre el hombro de Hortensia, quien continuaba sin inmutarse. Paty le dijo a Abel que había hablado con Tere para ver si tenía un trabajo para él en el comedor, pero antes de que terminara la frase Abel se adelantó para informarle que no hacía falta. Mañana empiezo a trabajar en un supermercado, dijo. Pues entonces no se hable más. Paty dejó la cáscara del plátano sobre la mesa y después gritó: oye, Mireya, ¿no viene ahora Rodolfo a cenar o qué? No sé, se limitó a decir Mireya desde la habitación. Su voz denotaba malestar. Anda menopáusica esta cabrona otra vez, cuchicheó Paty con socarronería. Abel empezaba a sentirse un poco incómodo con la situación. No terminaba de comprender la actitud de Hortensia, de quien no sabía si traía algo en su contra o era nada más la incomodidad que le producía compartir la casa con la amiga de Paty. Hortensia era una mujer de pocas palabras, a decir verdad. Un poco introvertida, reservada, pero también dúctil a cualquier tipo de circunstancias, como las piedras de tierra profunda. Decía sí o decía no, y con esas simples palabras podía resolver los más intrincados problemas. Tal vez por estas razones era difícil llegar a saber qué era lo que quería o qué, ante determinado incidente, lo que pensaba realmente. Como todas las mujeres, Hortensia era muchas mujeres a la vez. Su mujer la habitaban mujeres disímiles, contradictorias o no. Cuando empezó a salir con Abel, y de esto hacía poco más de dos años, Hortensia no había terminado la relación con un hombre dedicado a la compra y venta de automóviles. El hombre se llamaba Rodrigo y vivía a dos calles de la casa de Hortensia. Al principio, las dos mujeres que había en ella podían convivir entre sí como dos buenas hermanas que compartieran una misma habitación. Cada una de las cuales desempeñaba una función distinta sin llegar a confrontarse. Hortensia amaba a Rodrigo, por un lado, pero también amaba a Abel, por otro. Dos mujeres distintas en la misma mujer para dos hombres igualmente distintos. Sin embargo, cuando la mujer que amaba a Rodrigo empezó también a amar al hombre que amaba su compañera de cuarto, todo vino a darse en el traste, porque aunque la mujer que amaba a Rodrigo estaba con él de cuerpo entero, sus manos como sus ojos y sus piernas, sus pensamientos iban a la busca del hombre que amaba su compañera. Como suele suceder en estos casos, Rodrigo empezó a notar, como tal vez lo notaba ahora Abel, que Hortensia (o una de las mujeres que era Hortensia) no estaba donde la había dejado el día anterior. Había un hueco de mujer en ese sitio y no aquel surtidor de deseos que había sido cuando se conocieron. Fue entonces que Hortensia, después de haber juntado sus partes de mujer en una sola mujer, abandonó a Rodrigo para seguir en pasos y cielos rasos a Abel Corona.

Como era de esperarse, Abel llega al supermercado en punto de las seis de la mañana. Si una cosa puede elogiársele es su puntualidad, por eso se ha escrito: "como era de esperarse". Decían a las seis y a las seis estaba ahí puesto como un zapato. Todavía no aparecía la primera claridad y la mañana conservaba un aliento frío cuando llegó Abel al supermercado. De hecho, podía todavía escucharse el canto de los gallos madrugadores y el motor de los autobuses de pasajeros alejándose del pueblo. Abel Corona se sienta en un taburete al lado del portón de la entrada y empieza a remover la tierra con la punta del zapato, a la espera de que alguien llegue. Sube la mirada hacia el cielo, luego la baja guiado por los pasos de las señoras que vienen o van al mercado. Abel se frota los brazos con cierta impaciencia. Tal vez por el frío. Tal vez no. Imposible que pueda reprimir los nervios. Aunque en realidad cree que ya lo ha vivido todo en la vida, sus noches en bares cantando, sus golpes de mala suerte, sus otras caídas, Abel es sólo un muchacho. Mientras piensa en su madre (y esta es la primera vez que piensa realmente en ella) entra por el portón un muchacho casi de su misma edad, delgado, con el pelo largo de zorrillo, botas de plástico hasta las rodillas y una camisa desabrochada que descubre un pecho lampiño y huesudo. Es el Chori. Abel se levanta del taburete y se aproxima a él con intención de preguntarle si es o no es, pero el Chori no lo deja terminar y le contesta que pos claro que es. O qué crees que soy un pinche muerto viviente o qué, añade golpeándose una rodilla con un pedazo de periódico enrollado. Abel sigue al Chori hasta una bodega detrás del supermercado y en la que se encuentra el cazo y todos los demás bártulos para hacer los chicharrones. Ha llegado un poco tarde, y el Chori remueve las cazuelas y las cajas como buscando con desesperación un tesoro perdido. Arroja una olla por aquí, otra por allá. El Chori despotrica. Cuando por fin encuentra lo que busca, enciende una de las puntas del periódico enrollado y lleva el fuego hasta la boquilla de gas, haciendo surgir una corona de lumbre azulina en el quemador. Si al rato te pregunta don Pedro que por qué nos tardamos tanto, tú le dices que porque se murió mi abuelita, ¿eh, güey? ¿Cuál abuelita? Abel se muestra confundido. Cómo que cuál abuelita, pinche güero, pos mi abuelita la muerta viviente. Abel se ríe con la puntada. Después pregunta al Chori cómo es el trabajo aquí. ¿No te dijo don Pedro? No, nomás me ordenó que viniera a las seis de la mañana para hacer los chicharrones. Abel remueve unas tablas de encima de una tina y se sienta. El Chori dice: bueno, lo que primero debes saber es que yo soy tu jefe. Es decir, que si te digo a ver, pinche güero memelas, limpia ese cazo, pos tú tienes que limpiarlo. O si te digo: a ver, pinche güero memelas, tira esos huesos, pos tú tienes que tirarlos. Y si luego te digo: a ver, piche güero memelas, pela ese cuero, pos tú tienes que pelarlo. Pero si también luego te digo: a ver, pinche güero memelas, pélame este otro (esta vez lo dice agarrándose el bulto), pos también tienes que pelármelo. El Chori no puede reprimir la risa. Escupe tres veces en la tierra. Se rasca la cabeza de zorrillo. Cuando Abel va apenas a decirle que se deje de babosadas, ve que una camioneta Van, parecida a una botella de aluminio masticada por un oso, entra por el portón y se estaciona al lado de la bodega, dejando hundida en el lodo la huella de las llantas. De ella desciende don Pedro, cargando una bolsa con algo que podría ser un perro o un gato muerto. Echa un vistazo hacia la cochera pensando en algo, sin saber si entrar a la carnicería primero o dejarlo para después. Deja el bulto sobre un banco, introduce un palito de madera entre sus dientes y camina en dirección a la bodega. Chori, grita. Hey. ¿Ya mero? Chori hace una seña con la mano a Abel, sin decir nada. Sí, responde. Bueno, no olvides que tenemos que ir por el puerco. Don Pedro se recarga en la puerta de la camioneta. Indeciso. El Chori hace otra seña brusca con la mano. Sí, ya mero. El Chori empieza a meter en el cazo de manteca hirviendo tripas, cueros, pajarilla, hígado, riñones. Sin limpiarlos. No hay tiempo pa' joterías, dice. Al cabo la comida de hoy arrempuja a la de ayer, ¿qué no? Abel acomoda bártulos sucios, pero lo hace sólo para dar la impresión de que hace algo. Siente que los pies le flotan ahí, en el aire. Mira el bigotito del Chori con cierto asco mientras mil pensamientos distintos se le agolpan en la cabeza. De pronto se da cuenta de que ha olvidado la cartera sobre el buró y con ella la llave que le dio Hortensia antes de salir. Comprará la tarjeta telefónica hasta el siguiente día, entonces. Si ya su madre ha esperado dos semanas sin tener noticias suyas, seguramente podrá esperar un día más. No quiere perder la concentración. El trabajo parece sencillo, mecánico, pero Abel Corona no termina de reconocer lo que está sucediendo a su alrededor. Sonidos insondables rebotando dentro de él le sacuden el esqueleto como a un árbol de guayabas. Nada más. Lo mueven, lo arrastran cual trozo de madera en aguas caudalosas. Entre esas canaletas que se le forman en la cabeza, hay algunas confusas, llenas de imprecisiones, aunque dentro de esas imprecisiones como sarcomas encuentre certezas. Una de ellas es que debe concentrarse en lo que hace. Tienes que hacer las cosas bien, dice la voz que le sube por el caño del esófago. Don Pedro se detiene en el dintel de la puerta, sólo alcanza a vérsele la mitad del rostro debido a la sombra proyectada por el alero del techo. Ah, pinche Chori, me lo imaginaba. Don Pedro recarga una mano en la moldura de la puerta y mueve la cabeza de un lado a otro. Trae el palito entre los dientes. El Chori pone una cara despavorida y no se atreve a decir nada. El Chori sabe que la próxima vez lo echarán de ahí a patadas. Se ha estado salvando. ¿Sabes manejar, Abel? Abel vacía la manteca quemada en un bote de plástico. Claro, don Pedro.

Don Pedro mete una mano en el bolsillo izquierdo del pantalón, extrae un llavero con dos llaves y se lo avienta pidiéndole que lo siga. El Chori mira a Abel con cierto recelo, pero sin resentimiento. Cuando don Pedro se aleja un poco hacia el costado de los gallineros, el Chori arroja con fuerza una brocha gorda en un cesto con tripas. Siente coraje, pero no va más allá porque en el fondo sabe que lo que ha buscado lo ha encontrado. En otro tiempo don Pedro le hubiera dado las llaves a él, pero después de lo sucedido en el puente eso ahora es imposible. Abel, en cambio, siente una alegría parecida al orgullo. Aunque se trata de un acto insignificante, para él es como haber recibido un diploma de honor. Un regalo de reyes. Un premio en la lotería. Sabrá sacar jugo de la situación. Don Pedro es un hombre cabal y necesitará, igualmente, un muchacho cabal. Y él podrá serlo, quizá. Un muchacho cabal. Durante el trayecto al rancho, el Chori se la pasa tirando voces. Se burla de cada error que comete Abel al conducir, por más mínimo que sea. Si no hace alto total en topes o no logra esquivar un bache, el Chori le da un sopapo. Fíjese, güey. Una viejita que por poco se llevan de largo. Fíjese, puto. Un ceda el paso no respetado. Abusado, baboso. Un sacudión al cambiar velocidades. Vivo, pendejo. Y otro sopapo. Abel no llega a molestarse, en realidad. El Chori le hace gracia. Su apariencia de maldito está recubierta por un manto de nobleza. El Chori es noble y Abel le sigue la corriente. Se ríe con él. Cuando llegan al rancho, son ya los grandes amigos del mundo. Dos compadres. El Chori se baja de la camioneta de un brinco, mientras Abel termina de estacionarla, de reversa, a un costado del corral. Don Pedro ha llegado antes y está hablando con el dueño, quien pasea en caballo a una niña de pelo rubito. La sostiene con una mano para que no vaya a caerse. El rancho tiene un llano de pasto verdísimo. Es como un césped. A los lados están las bodegas de rastrojo. Nada de falsetes improvisados con alambre de púas. En lugar de eso, barras tubulares rojas tiradas de una orilla a otra, como en los ranchos de Texas. Grandes comederos y vacas con registro. Este viejo tiene pura vaca Robereford, dice el Chori. Será Hereford, güey, replica Abel sabiendo lo que dice. Don Pedro les chifla y les indica que vayan subiendo el puerco negro que está dentro del corralito. ¿Ese de allá? Ese mero. Tú ve yendo, dice el Chori extendiéndole la soga a Abel. El Chori sabe que subir un puerco no es cosa fácil. Algunos puercos reculan, se apoltronan, sumen las pezuñas en la arena para no avanzar, abren el hocico hirientes, sacuden la cabezota. El Chori mira a Abel desde la camioneta con cierta malicia, las piernas colgándole en el suelo, ahora se rasca el bigotito. Hace como que destraba un gancho de la batiente o cualquier cosa para aparentar que hace algo. Abel va con la soga tras el puerco, que de un instante a otro se da la media vuelta y lo mira de frente, lo mira mirándolo por entre los barrotes de la cerca. Don Pedro sigue hablando con el dueño del rancho, quien sigue a su vez paseando a la niña de pelo rubito en el caballo, dándole vueltas al corral. El puerco inclina un poco la cabeza, cabestreando. El Chori saca un cigarrillo del interior de la bota de plástico y se lo coloca lentamente entre los labios, mirando sin parpadear. Abel se acerca, abre la puerta y tira la soga sobre la cabeza del puerco negro. El puerco negro se echa hacia atrás. Abel estira la soga para sujetarlo bien del pescuezo. El puerco echa hacia atrás otra vez, sacudiendo la cabeza y enterrando las pezuñas en el terregal. Con huevos, pinche güero, grita el Chori.

Abel no alcanza a escucharlo. Está intentando doblegar al marrano. Hace palanca con una pierna, jala con todo lo que lleva dentro. Súbitamente, el puerco se tira a correr en dirección a Abel, quien suelta la soga y salta a correr como alma que se lleva el diablo. El animal va detrás de él. Cuando don Pedro gira la cabeza, su mirada queda justo en la imagen de un puerco corriendo detrás del muchacho que intenta escapar a todo galope. Abel parece un caballo desbocado. No hay Dios que parezca detener ese chamuco. El Chori da un salto y, al cruzar el marrano junto a él, se le avienta al pescuezo. Va ahora en el lomo del marrano dando tumbos. Sujeta la soga, que se amarra rápidamente alrededor de la cintura, y así la sostiene hasta doblegar al animal. Dos nudos le enreda en el hocico. Dos nudos macizos. Luego, en tono encarador, voltea hacia Abel y dice: inclínate ante este matador de lidia, pinche güero joto. Y al decirlo apunta un brazo hacia el cielo y apoya una rodilla en la tierra, como los toreros que han cortado dos orejas y dos rabos. Después de unos segundos en esa posición de encumbramiento, el Chori se levanta y arrastra al marrano hasta la camioneta. El puerco no se resiste más. Manso cordero, perro bueno y amigable, camina detrás del Chori hasta la tabla recostada sobre la defensa trasera de la camioneta, por donde él y Abel consiguen por fin subirlo a empellones. No cabe duda que eres un puerco, pinche puerco, dice el Chori. Don Pedro se cerciora de que el trabajo ha sido hecho y se despide con un abrazo del dueño del rancho. El Chori va también con el dueño del rancho y lo saluda como si lo conociera de mucho tiempo atrás. Intercambian unas cuantas palabras. El Chori acaricia con afecto el pelo de la niña rubita y le dice algo también. Abel permanece en la camioneta, en el asiento del conductor, viendo la escena por el retrovisor. Saca un poco la cabeza para mirarse la cara, buscando algo que no encuentra. Los ojos, la boca, las cejas, el pelo que le empieza a crecer. En uno de estos días preguntará por una escuela donde pueda continuar sus estudios. No quiere quedarse a la deriva. En el fondo sabe, o acaso nada más lo intuye, que debe continuar los estudios si no quiere ser toda la vida un chalán de supermercado o un mesero de taquería. Pero en este pueblo hay apenas iglesias y jardines. Tal vez una primaria. Acaso una secundaria. Este pueblo parece arrasado por el polvo, metido en una ventolera donde nada pasa. Calles de polvo y gente desperdigada cargando siempre algo: una bolsa con comida, unas vigas de madera, una pala y un pico, un niño en hombros. ¿Y eso?, pregunta Abel señalando con la punta de la nariz la cadenita de oro que el Chori observa con detenimiento. ¿Eso de qué? Eso de la cadenita, no te hagas. Ah, me la encontré en el rancho. ¿Te la encontraste o te la robaste, güey? Las dos cosas juntas, güey, dice el Chori sin titubear. ¿Cómo? Pos sí, baboso, primero me la encontré y luego me la robé. El Chori hace una mueca de triunfo, abriendo las comisuras y cerrando los ojos. Es que no lo puedo evitar, la neta, pinche güero. Veo una cosa que me gusta y luego luego oigo una voz que me dice: Chori, Chori, Chori, eso es para ti, mira, eso que está ahí es para ti. Luego, tres segundos más tarde se activa otra voz que me dice: Chori, Chori, Chori, no es cierto, no le hagas caso a la otra voz, eso no es para ti, mira, eso que piensas que te está mirando no te está mirando en realidad, Chori. Pero luego la voz que me dice que sí pelea duro con la otra voz que te digo que me dice que no, las dos voces pelean como gatos boca arriba, una me dice sí Chori sí Chori esto lo puso

Dios que está en los cielos para ti y luego la otra voz me dice no Chori no le hagas caso a la otra voz esto no es para ti, la divinidad no existe, y al final la voz buena, es decir, la que dice sí Chori es para ti, termina siempre ganando. ¿Pero no te da vergüenza? Pos sí me da vergüenza, güey, pero soy hombre y me la aguanto. Distraídos como van, Abel no se da cuenta de que el semáforo se ha puesto en rojo justo cuando van llegando a la línea de cruce de calle, por lo que mete el freno hasta el fondo haciendo que el puerco se deslice por la cubierta metálica y quede con la cabeza embrocada en los asientos, chillando como un mono mordido por un tigre. Jijo de la chingada. El Chori se quita la bota de plástico y empieza a golpear la cabeza del puerco intentando destrabarla. Es inútil. El puerco sigue chillando y abriendo el hocico como queriéndose-los tragar sin masticarlos. Pues métele un patadón en la jeta, güey. Pues eso es lo que voy a hacer, güey. El Chori recarga la espalda en el tablero de la camioneta, recoge la pierna y luego suelta tres patadones como ametralladora en la pura cabezota del marrano. No que no tronabas pis-tolita, dice abrochándose los dos botones de la camisa y echándose el pelo hacia atrás. Ya verás que bajarlo es más fácil, güero. Otro patadón en el culo y listo. Esa es la parte que más me gusta, continúa. Bajas al puerco, lo arrastras hasta el matadero y lo amarras ahí mientras afilas la punta del cuchillo. Antes me gustaba matarlos a tubazos. Se retuercen como si estuvieran bailando *break-dance* los hijos de la chingada. Pero don Pedro ya no quiso que lo hicie-ra porque, según él, la carne se pone dura y llena de ner-vaduras. Enterrarle el cuchillo en la nuca no está mal tampoco, te diré. El puerco cae como saco de piedras y te mira con un ojo de odio mientras se desangra. Su ojo te busca la mirada como si se tratara de un asesino en busca de venganza. Haz de cuenta que estás viendo el ojo del diablo. Cuando termina de decir esto, Abel, por una asociación inexplicable, recuerda lo que le ha dicho Hortensia el día anterior: vino a buscarte un hombre pero no quiso decirme qué quería. Dijo que luego te volvía a buscar. Abel sospecha algo, pero prefiere desviar el pensamiento hacia otra parte.

Esa noche me había costado dormir. Estuve dando jirones en la cama. Metiendo y sacando la cabeza en la almohada, cambiando de posición. De costado. Boca arriba. Del otro costado. Boca abajo. Miraba a través de la ventana, difuminada por la densidad de la niebla nocturna, la luz del poste del billar del Pulpo. La miraba con un ojo entrecerrado, agobiado. Luego bajaba la vista y veía al Pulpo recargado en el poste, borracho perdido. El Pulpo cantando a voz en cuello, con una cerveza en la única mano del único brazo que tenía, una dolorosa. Esto me sucedía con frecuencia desde que empecé a trabajar en el Ministerio Público. Imágenes como cristalazos. Piernas rotas. Voraces. Ojos muertos mirándome a los ojos fijamente. Ruidos de máquinas de escribir. Y luego el corredor del Ministerio Público, con gente mugrienta sentada en las bancas de espera, esperando rendir una declaración o presentar una denuncia. Las horas inútiles de la noche en guardia. Sin conciliar el sueño. Como esa noche en la que no bien cerré los ojos, los tuve que abrir debido a los insistentes llamados de puerta. Por la forma en que se llama una puerta pueden adivinarse las intenciones del que busca y las reacciones del que espera. Noticias buenas. Malas. Peticiones. Saludos. Visitas inesperadas. Pero esta vez los llamados no advertían nada. Abel, Abel, gritaba alguien por encima de la baranda. Su voz se me metía en los oídos como un cincel. Y luego los toquidos insistentes de la puerta. Me levanté, me enfundé una camisa y metí un ojo por un resquicio de la ventana, sin alcanzar a distinguir la silueta de nadie. Estuve unos segundos esperando. ¿Quién?, pregunté quedamente. Yo, Blanca. En mi cabeza se arremolinaron toda clase de presentimientos, malos o buenos. Ah, qué pasó, prima, contesté quitando el seguro de la puerta. Pasa. Blanca entró pero se negó a sentarse. Venía todavía en bata de dormir, un poco agitada, también mostraba en sus ojos, como en su voz, un signo de incredulidad. Me habló Olga preocupadísima para decirme que Ismael tu hermano no llegó a dormir. ¿Y?, dije haciendo notar que tal cosa no era motivo para venir a despertarme a esas horas de la mañana. Quiere que lo busques o hagas algo. Debe andar de cabrón. Yo le dije lo mismo a Olga, pero no, Olga dice que desde que se casaron Ismael nunca había faltado a dormir. Que podía llegar en la madrugada o lo que quieras, pero que faltar a dormir lo que se dice faltar a dormir, nunca. Ella presiente algo. Siempre hay una primera vez, ¿no?, insistí. Está muy preocupada, anda, haz algo. ¿Y qué hago? Aunque, por un lado, trataba de aparentar despreocupación por la noticia, por otro, en realidad, me agobiaba lo que hubiera podido sucederle a mi hermano, conociendo además ciertos antecedentes. Sabía que, en efecto, era incapaz de faltar a sus responsabilidades laborales y familiares. Si yo era responsable a mi manera, él lo era mil veces más a la suya. Pero la inercia de la vida, sus pasillos de sombra, sus tiraderos de lodo, últimamente, lo llevaban a desbordar algunas orillas y a descuidar otras. Había estado jugando con fuego. Me sentía parte de ese juego y de ese fuego, también. Olga y yo habíamos llegado demasiado lejos en nuestra relación. Los remordimientos me acosaban. Más de alguna vez, después de hacer el amor, llegó a manifestar su deseo de dejar a mi hermano. Ella se las sabría arreglar de alguna forma con los niños. No te exigiría nada, decía abrazada a mi cuerpo. En mi cabeza se oía la voz de Ismael mi hermano: hay que andarse con mucho cuidado. Cambia de hábitos. Cuando vayas a casa, busca rutas diferentes. Calles distintas. Recuerda que tú olvidas la cara de los delincuentes, pero ellos nunca olvidan la tuya. Eres un retrato en la pared de su habitación. No te confíes. Voy a hablar con el procurador de Justicia para ver qué me recomienda, dije para terminar. Está bien. Dile a Olga que yo le aviso cuando tenga alguna noticia y que no tarde en avisarme apenas sepa algo. Sí. Me despedí de Blanca mi prima y me metí a la ducha. Estuve cantando una canción de Álvaro Carillo. Un bolero inmortal. *Un poco más / y a lo mejor / nos convencemos luego…* El agua tibia caía en mi espalda trayéndome una sensación de serenidad. Di tres golpes en la pared, que daba a la casa contigua, y esperé los tres golpes de vuelta unos minutos después. Tres golpes significan: hoy no podré verte. Dos golpes: nos vemos hoy en la noche, como siempre. A la misma hora. Cinco golpes: estuviste encantadora. Mi vecina fue la de la idea de los golpes, que utilizábamos para burlar al marido. Tres golpes, dos golpes, cinco golpes. Era simple: me brincaba por la azotea a su casa, bajaba por la escalera de caracol del traspatio y me guarecía en la habitación de planchado, cuya puerta me dejaba sin seguro. Mientras lo hacíamos ahí entre montones de ropas lavadas y cajas con bártulos o enseres domésticos, su marido roncaba feliz en su habitación, creyendo que la almohada que tenía adosada a su espalda era el cuerpo de su mujer. Comí un poco de pan con dos lonchas de jamón, bebí un tarro de leche y salí de casa encendiendo un cigarrillo. La secretaria del procurador me dijo que el procurador estaba en un desayuno en el restaurante El Pozo Santo. Un desayuno de negocios con el procurador general de la República, otro asesino e igual hijo de puta que él. Pensé esperar, pero al final decidí que lo mejor sería ir adelantando pesquisas. Antes de partir, pregunté a Adela si sabía algo de mi hermano. Adela estaba rígida, con la espalda recta como una tabla, transcribiendo una resolución ministerial. No sé, alcanzó a decir. Estaba otra vez molesta por lo de anoche. Esto pasa con las mujeres mayores. Entre más les das, más quieren. El culo les rige la cabeza. Por eso, lo de Adela había empezado a enfriarse, pero de ello era ella la única culpable. Tampoco le parecía mi relación con Silvia. No le parecía mi relación con nadie. Quería sacar a la luz una relación prácticamente destinada al fracaso. Su locura la llevó a cometer imprudencias imperdonables. De todas formas, conocía más que nadie los secretos judiciales y así me lo hizo saber en repetidas ocasiones. Yo sé más de lo que tú puedes creer, mi niño hermoso. Aléjate mejor del licenciado. Ándate con cuidado. Con estas palabras llegué al restaurante donde estaba el procurador custodiado por dos judiciales que, al verme, vinieron de inmediato hacia mí. ¿Qué se le ofrece, licenciado?, me preguntaron. Me decían licenciado por una simple y sencilla razón: porque en mi país a cualquier hijo de policía que esté sentado detrás de una máquina de escribir le dicen licenciado. Lo peor del asunto es que si no está sentado detrás de una máquina de escribir, también le dicen licenciado. Todo el mundo es, por lo menos, un licenciado. Necesito hablar con el procurador. Es un caso urgente. Fue entonces que me di cuenta de que se trataba de una reunión un tanto sospechosa. El procurador y su homónimo federal hablaban con don Ernesto Amezcua, hombre de muy mala reputación en el estado. Negocios turbios. Mucho dinero en poco tiempo. Grandes extensiones de tierra. Los dos judiciales volvieron y me condujeron hasta la silla del procurador. Luego de cuchichearle al oído, se retiraron. El procurador me llamó con el ojo. Me acerqué a él y me puse en cuclillas. Le expliqué lo de mi hermano Ismael. Me dijo mi cuñada que no llegó a dormir y que no era eso normal en él. Debe haberse pasado de copas por ahí con algunas putas, dijo sardónicamente. El procurador hizo una pequeña pausa que aprovechó para servirse un poco de jugo de naranja. Luego, sin mucho aspaviento, sino más bien indiferente, como si se tratara de un mosco aplastado por una mano ociosa, añadió: levanta un acta por desaparición. El procurador general de la República se dirigía a don Ernesto Amezcua como si fuera su subalterno. Don Ernesto Amezcua escuchaba ladeando un poco la cabeza. Que levantes un acta por desaparición, te digo, dijo el procurador notando que no me había parecido una buena medida precautoria. Luego se volteó hacia los comensales y retomó la charla como si momentos antes, en lugar de haber hablado conmigo, hubiera girado la cabeza para estornudar. Me despedí de los presentes con un que pasen buenos días y después de haber hecho la reverencia de ley, me fui por donde vine. En el camino de regreso me envolvieron de pronto las palabras que me dijo hacía ya mucho Roberto Alanís: en este oficio, donde uno cree que termina el camino es donde en realidad comienza. Conducir un tráiler es poner las manos en lo incierto. Nunca sabes si llegarás o no. Y cómo o cuándo. Me presenté ante la mesa quinta, que era la que estaba de guardia, y le dije a Guille que quería levantar un acta por desaparición. El licenciado Guerrero salió en ese momento de su oficina y me preguntó que qué pasaba. Le dije que mi hermano Ismael no había aparecido en su casa en toda la noche. ¿Y ya hablaste a la Policía Preventiva? Voy llegando, le dije. El licenciado Guerrero se frotó las manos, buscando una vía mejor para sortear los procedimientos. Contrario a mí, su gesto quieto, siempre lleno de frialdad, reflejaba la certeza de un mal presagio. El acta se estaba dictando mecánicamente, casi por inercia. Sentía que de un momento a otro, una llamada nos avisaría que Ismael mi hermano estaba sano y salvo, tal como suele suceder en las telenovelas. Te hacen pasar por un estrago para luego convertir todo aquello en una fiesta de luces de artificio. El licenciado Guerrero volvió a su oficina, que cerró detrás de sí. Me di cuenta de que las manos me habían empezado a temblar repentinamente. Todavía no terminaba de darle el punto final a mi declaración, cuando por la puerta principal del edificio entró mi hermano Felipe. Venía caminando a grandes zancadas. Desorbitados los ojos, dando tumbos. Los ojos sin color. Apenas me vio, me dijo con la voz agrietada: está ahí, ahí está tirado, bien muerto, tirado ahí. Un saco de escombros se derrumbó sobre mi nuca. Toneladas de lodo se me empezaron a despeñar dentro. La voz de Felipe mi hermano se oía lejana, tapiada por árboles y embalsamada por raíces torcidas. ¿Ahí dónde?, pregunté por preguntar. Ahí, en su rancho, tirado, lleno de tierra. Acabo de verlo ahorita que iba a darle de comer al caballo. ¿Pero sí es él? Pues quién más hijos de la chingada va a ser, Abel. Es él, lo acabo de ver, es él. Hijo de su puta madre, apretaba los dientes al decirlo. Felipe hecho un nudo dentro de sí mismo, enjuto. Hijo de su puta madre. Con las mandíbulas temblorosas. Bien muerto. Tirado lo dejaron ahí. Dos judiciales cogieron a mi hermano del brazo y le pidieron que se tranquilizara. Yo no podía moverme de la silla. Estaba como clavado de manos y pies. Guille permanecía con las manos suspendidas sobre las teclas de la máquina de escribir. Absorta ante la noticia. Después de unos minutos, el licenciado Guerrero salió de la oficina con la planilla de levantamiento, una cinta métrica colgando del cinturón y una brújula. Se puso la cazadora y me dijo que lo acompañara. Sabino, Román, vamos. Sí, licenciado. Antes de abandonar el edificio, le dije a Felipe mi hermano que fuera a hablar con la prima Olga, y que luego nos volviéramos a encontrar aquí mismo. En unas dos horas. Felipe mi hermano estaba sentado en la banca de espera. Lo seguían custodiando dos judiciales. Ni siquiera volteó a mirarme. No sé tampoco si escuchó mi última indicación. Había pasado un año apenas del crimen de mi hermano Bulmaro, y ahora parecían comenzar las cosas de nuevo. Donde parece que acaba el camino, apenas empieza. Recordé que hacía unos cuantos meses, cuando le comenté a Silvia lo sucedido, me dijo exaltada que debíamos tener más cuidado con lo que hacíamos. No quiero que me expongas tanto. Me da miedo, Abel. Por eso decidimos llevar una relación casi clandestina. Pero el asunto no era conmigo, en todo caso. Yo estaba del otro lado de la valla. O al menos eso quería pensar. Las intuiciones son malas consejeras cuando no se tienen los huevos bien puestos en medio del pantalón. Entre un pensamiento y otro que devoraba al pensamiento anterior fui construyendo un paisaje encima del paisaje que veía. Si el paisaje real se presentaba escarpado y sinuoso, el paisaje que iba construyendo en mi imaginación era llano y despejado, como un cielo sin nubes. De esta forma se puede burlar la realidad sin ser burlado.

¿Es por aquí, Abel? Sí, licenciado. Por ese camino. Román detuvo la camioneta a unos pocos metros de la entrada al rancho de mi hermano. Estacionado a un costado del pozo de agua, encontramos su vehículo, un Volkswagen amarillo modelo 1974. El VW tenía la puerta abierta del lado del conductor y la cajuela semicerrada. Román estacionó la camioneta junto a la palmera. Descendimos y caminamos lentamente hacia el falsete. Sabino tocó el hombro del licenciado Guerrero y le señaló algo con el dedo índice. Yo giré la cabeza y detuve la mirada en el árbol de mango. Al lado de él, boca abajo, descamisado y con los pantalones abajo de las nalgas, vi el bulto de mi hermano Ismael. Tirado ahí. Embadurnado de tierra. Creí que no podría acercarme. No tengo valor para eso, pensé. Lo mejor sería ponerme una almohada en la sien y atravesármela de un balazo, como alguna vez lo quise hacer. Me sentía un pusilánime. Quién puede saber lo que uno es realmente. Seguí caminando entre el breñal, impulsado por una fuerza irreconciliable. De la camioneta de Servicios Periciales, que acababa de estacionarse justo detrás de nosotros, bajaron dos médicos forenses. El licenciado Guerrero volteó y les hizo un gesto. Al llegar al cuerpo de mi hermano, me detuve en su expresión. Una mueca sin mueca. En los dientes apretados restos de tierra y zacate. El pelo apelmazado de sangre. Román y Sabino empezaron a limpiar el perímetro, en busca de evidencias. El cadáver estaba en posición decúbito lateral izquierdo, enconchado como un feto. La cabeza orientada al sur. Vestía un pantalón de mezclilla color azul marino más abajo del nacimiento de las nalgas.

Sus zapatos y dentro de los zapatos los calcetines los encontraron dentro del vehículo, del lado del asiento del copiloto, la camisa colgada de la puerta que permanecía abierta. Ahí mismo, sobre el capacete del vehículo, hallaron también un pomo de vaselina sin tapadera y una botella de cerveza Corona semivacía. A unos cuantos metros del cadáver se encontró una navaja de las denominadas 007, con la que presumiblemente se ejecutó el crimen. Por la temperatura del cuerpo y el estado de los ojos, que todavía conservaban el color, fue posible determinar que su data de muerte se había dado a escasas cinco o seis horas, considerando además el tiempo climático, más bien húmedo. Su cuerpo, el cuerpo de mi hermano Ismael, parecía un sumidero, lleno de agujeros rodeados por manchas color café rojizo. Lo habían matado a navajazos, como a un perro delincuente. El licenciado Guerrero lo escarmenó con la punta del zapato, husmeando en busca de rastros poco visibles para el observador poco entrenado. Las imágenes me empezaron a aparecer en bloques. El automóvil. El cuerpo de mi hermano. La navaja en la tierra. La camioneta de Servicios Periciales. El cuerpo de mi hermano. Su cabello apelmazado de sangre. La navaja en la tierra. El gesto de Sabino. El automóvil. Los ojos desorbitados de mi hermano Felipe. La navaja en la tierra. Plac plac plac: las imágenes. Levantaron el cuerpo como se levanta un saco de frijol. No lo precedió ninguna ceremonia. Ningún ritual. Levantar un cuerpo como se levanta un tronco reducido a polvo. Ya en la plancha del Servicio Médico Forense, el médico legista contaría sesenta y tres puñaladas. La más honda estaba en la espalda baja, a la altura del riñón. El riñón había sido atravesado de un linde a otro. Este fue el primer chingadazo. El médico continuaba midiendo cada orificio con una regla metálica de popote. Las muñecas despedazadas, descoyuntadas, mostraban cartílagos rotos. Mi hermano intentó contrarrestar al agresor. Se echó hacia atrás intentando escapar. Sus manos estuvieron defendiendo la vida algunos minutos, pero el navajazo en peso en el riñón le había menguado la fuerza. El médico recorría el cuerpo auscultándolo meticulosamente. De vez en vez anotaba en la plantilla ministerial. Al levantarlo por un hombro, descubrió piquetazos sesgados en el tórax, de derecha a izquierda, como si el agresor, después de enterrarle un par de veces el puñal en la espalda, lo hubiera atenazado con la mano izquierda del cuello y hubiera utilizado la derecha para continuar acribillándolo. Crimen pasional, dictaminó el médico en tono agrio. Según la reconstrucción preliminar de los hechos, mi hermano llegó a su rancho acompañado del presunto responsable alrededor de las once de la noche. Como lo demostraban las huellas encontradas junto a la puerta izquierda, mi hermano conducía el automóvil. Mi hermano y el presunto responsable estuvieron bebiendo cerveza en el interior del automóvil por algún breve periodo de tiempo, para después descender del automóvil e irse a sentar al lado del árbol de mango, donde continuaron bebiendo. Aunque había sólo una botella sobre el capacete, no es posible determinar si antes estuvieron bebiendo en otro lugar y fueron a terminar horas después en el rancho, ubicado a unos veinte kilómetros al norte de Colima, por la carretera a Guadalajara. Tal vez sí estuvieron en otro lugar. Lo que parece cierto es que fue durante el tiempo en que bebían cerveza dentro del vehículo cuando el hoy occiso, es decir mi hermano, se deshizo de los zapatos, sin poderse a ciencia cierta determinar el motivo por el cual tales prendas de vestir estaban en el lugar del copiloto al momento del hallazgo del cadáver. Olga me informó que Ismael había llegado a su casa para decirle que daría un paseo con un amigo que había venido a visitarlo. Se presume que el amigo era de Guadalajara. Olga inclinó la cabeza y vio al hombre sin conseguir grabar sus rasgos debido a la oscuridad. Buenas noches, dice que dijo amablemente. Buenas noches, menciona que contestó el hombre desde el asiento, sin mover el rostro hacia la luz. Había dejado un cuadro, ahora que recuerdo. Según Olga el amigo de mi hermano le había regalado a éste un cuadro con la imagen de unos caballos corriendo en un llano verde, un caballo blanco y uno negro, y había aprovechado para dejarlo de una vez en casa. Declara la esposa del hoy occiso que quien en vida respondiera al nombre de Ismael Corona le había argumentado que el trato de su extinto marido y el presunto responsable era poco más que familiar, por lo que podía deducirse que se conocían de mucho tiempo atrás. Aunque tampoco es posible precisarlo. En esa misma declaración ministerial, Olga manifestó que era la primera vez que sabía y veía al presunto responsable con su marido Ismael. Nunca antes lo había visto ni su extinto marido había hablado de él con ella en ningún momento. Ni observó conductas extrañas tampoco. Después de beber un poco de cerveza, se infiere que Ismael mi hermano y el presunto responsable empezaron a tener un acercamiento más íntimo, de carácter sexual. Como en las relaciones de este tipo, entre el hoy occiso y el presunto responsable hubo escarceos, caricias, pero también una conversación que, por alguna razón siempre desconocida, empezó a crear desavenencias entre el hoy occiso y su victimario. Pese a lo anterior, llegado el momento inmediatamente anterior al coito, mi hermano Ismael o el probable responsable fue al vehículo por el pomo de vaselina, que, según se desprende de actuaciones, utilizaría el presunto responsable como lubricante. Se deduce que una vez que el presunto responsable se aplicó el producto graso en el pene, mi hermano Ismael lo estaría esperando en la posición denominada vulgarmente "de a perrito" con el fin de consumar la cubrición, aunque los estudios espermatológicos y tricológicos arrojaron ausencia tanto de pelo como de semen en la zona anal, lo que indicaba que el coito no se había consumado. Los resultados de los análisis hemáticos tampoco concordaron con ninguno de los registros consignados en los archivos de la Procuraduría, no descartando con ello la posibilidad que se estuviera frente a un homicida reincidente. El presunto responsable, se infiere, esperó a que Ismael mi hermano se colocara en la posición antes mencionada y cuando éste vio el momento indicado, de espaldas a él, sacó de sus ropas el arma criminal y la enterró con todo el peso de su cuerpo en la espalda baja del hoy occiso, para luego proceder a asestarle más puñaladas en el tórax, que el probable responsable atajó por el cuello. Se presume que mi hermano consiguió voltearse, quedando de frente a su agresor, con la espalda apoyada en el suelo, aventando las manos y los pies por delante y buscando la ocasión propicia para escapar. Pero el presunto responsable no lo dejaría. Así, le rajaría las muñecas de las manos sin piedad hasta constatar que el cuerpo de mi hermano empezaba a derrumbarse en su propia agonía. El presunto responsable correría por el camino de tierra hasta la carretera, se presume, olvidando en el lugar del crimen el arma homicida y un llavero con la figura metálica de un tráiler conteniendo una sola llave, mismo que Sabino guardó poco antes de partir en la bolsa plástica de las evidencias.

Entre el transcurso de la expiración y la muerte mediaron alrededor de dos horas, tiempo en el cual mi hermano intentó rescatarse de su desgracia, a saber por las huellas de arrastramiento encontradas dentro del mismo perímetro. Mientras se arrastraba intentando llegar al automóvil, por su cabeza debieron haber pasado imágenes vergonzantes. El presunto responsable lo había machacado como a un pedazo de carne nervuda. Dura. Lo había masacrado con furia. Con odio. Con un placer incomprensible. En la cara, en las manos, en el pecho, en el culo. Le había asestado tres puñaladas en el culo y había removido la navaja dentro como queriéndosela sacar por la boca. La sangre se apiñaba, grumosa, en la tierra. El cuerpo una hilacha. Abiertos todos sus pliegues y esquinas. Y luego él pensando en sus hijos, su mujer, sintiendo el sopor de quedar ahí, en medio de la noche fría, con la heladura de una muerte entera, cierta, atribulándosele en la respiración, un hueco en el pecho, un hundimiento la agitación de los sentidos, viendo sus fuerzas trituradas, y triturada su posición social, su honor de buen licenciado, destronados sus más ínfimos signos vitales. Avergonzado de sí mismo. Apagándose. Gimiendo en medio de nada. De nadie. Un solo espasmo él y su espanto. Apagándose. Igual a un tráiler que se va quedando sin gasolina en una carretera desierta, acechado por aves negras y animales de uña. Por miserables asaltacaminos. Buitres. Zopilotes. Él mismo viéndose en la plancha metálica, friísima, privado de sueños y deseos, los más pequeños del mundo, ahora que lo sabe. Al ras de su abismo. Apagándose. Como cuando uno cae en el sueño o rebota cual pelota. Subiendo cada vez más alto, irremediablemente. Mis hijos, mi mujer, el trabajo, mi caballo. Todo incrustado en su cabeza como un embudo, un filtro que dejara pasar lodo y hediondez. *Game over.*

Dos días después, las investigaciones judiciales pudieron atraer a un testigo que parecía dar pistas ciertas sobre el criminal. El testigo era despachador en una gasolinera al norte de la ciudad. Los había visto la noche anterior, cuando llegaron a reponer gasolina. El automóvil amarillo se detuvo en la primera bomba. El conductor era calvo y vestía pantalón de mezclilla azul marino y camisa de cuadros café, declaró. No vi si traía o no botas. El conductor se bajó y no me dejó que lo despachara, pero yo me quedé limpiando el parabrisas. Mientras el conductor reponía gasolina, el copiloto bajó del vehículo y fue al baño. Declara el testigo que se trataba de un individuo de algunos treinta y cinco años. Moreno. El pelo corto tipo guacho. Chino. La nariz chata y los labios gruesos. No recuerdo qué camisa traía, pero era de manga corta. Un tipo delgado, fibroso, garrudo. Con un tatuaje en el antebrazo derecho. Se fumó un cigarrillo afuera del baño, después de salir. Al poco rato, volvieron a subir al vehículo y se fueron por la carretera a Guadalajara. A pregunta expresa de si el testigo vio algo sospechoso o escuchó algo que hayan dicho el hoy occiso y el presunto responsable motivo de la presente indagatoria, a lo que el testigo declara no, pos nada, señores. Aquí la gente viene, echa gasolina y se va. Sabino y Román pidieron al hombre que viniera al siguiente día para pasar con el dibujante con el fin de hacer un retrato hablado del criminal. Eso mismo que ha declarado, se lo dirá mañana al dibujante, dijo Román. El hombre tuvo miedo de meterse en un problema gratis y pensó no volver a la Procuraduría al siguiente día, pero inmediatamente después creyó que rendir una declaración ante un Ministerio Público era más o menos igual a confesarle a un padre los pecados. Así lo haré, señores. El cadáver de mi hermano, o lo que quedaba de él, seguía sobre la plancha metálica. El médico forense había tomado las providencias, registrado en su planilla modelo las primeras evidencias, y todo sin mirar mucho a los ojos de mi hermano, que los tenía fijos en el techo descascarado. Miraba sin mirar, como don Chuy. Tenía también una malla para atrapar moscas detrás de los ojos, que empezaban a diseminarse en la nube de sus pupilas. Al ver a mi hermano ahí, don Chuy, que afilaba el cuchillo para proceder a realizar su labor, volteó y me dijo: un día yo mismo voy a afilar el cuchillo que me va a mochar los huevos, vas a ver. Don Chuy hablaba pero no parecía sentir realmente lo que estaba diciendo. Lo decía para caer un poco en gracia, para demostrar que su frialdad no estaba en realidad a prueba de balas. En el fondo soy buena gente, eso era lo que quería decir don Chuy. Pero no era verdad. Lo noté en sus manos, que cogieron el mango del cuchillo sin titubear y no temblaron en ningún momento. El cuchillo entró en el bajo vientre de mi hermano como si entrara en la arena de la playa. Pronto, después de desmembrar el cuero, apareció la masa blancuzca y pegajosa parecida al engrudo. Mi hermano seguía sin inmutarse. Había dejado, al fin, de oponer resistencia. Su mirada fija en el techo descascarado. Las piernas rígidas y los pies huesudos. Los pies que no eran capaces ni de subir una escalera. Las manos que no podrían abrir una puerta o una ventana. Ni extenderse para saludar. Ni siquiera coger papel higiénico para limpiarse el culo. Nada. El médico legista salió a firmar unos dictámenes de urgencia y don Chuy aprovechó para decirme que algo no le olía bien en todo esto. Aquí hay gato encerrado. Don Chuy miró el cuerpo de arriba abajo buscando una pieza más del acertijo. ¿Qué piensa usted, don Chuy? Me acerqué al cadáver enterregado de mi hermano. Dígame la verdad. Coloqué mi mano sobre el muslo frío. A mí se me hace que lo venadearon. Mira, dijo. Don Chuy cogió la regla metálica y la metió por un orificio ubicado en el costado izquierdo, poco más abajo de la terminación del costillar. Extrajo la regla y la detuvo en alto. ¿Qué tal? Ahora mira, dijo otra vez. Metió la regla metálica por un orificio contiguo al orificio anterior, a unos dos centímetros. Extrajo de nuevo la regla y la detuvo en alto, mirándola mientras hacía deducciones agilísimas en la cabeza. ¿Lo ves? Tuve la sensación, en un momento, de que don Chuy había perdido la cabeza. Parecía llevado más bien por una especie de rapto ficcional. Una puta alucinación. Un descabellamiento. Sin embargo, temía que fuera a equivocarme. El médico legista había suscrito como motivo del crimen una cuestión de tipo pasional. Cri-men pa-sio-nal. Y había, con eso, dado prácticamente carpetazo al asunto. Intenté poner orden en los materiales que me cercaban la cabeza, pero todo parecía difuso y diseminado en esquirlas diminutas que se plegaban en las paredes del cráneo. Cuando intentaba unir en un solo rincón esas partículas casi invisibles, en otro rincón, en el extremo del cráneo, se desunían. No me convencía el hecho de que mi hermano hubiera dejado los zapatos, y dentro de los zapatos los calcetines, en el asiento del copiloto, y hubiera tenido que caminar por la tierra con piedras más de quince metros, para llegar al árbol de mango. ¿Con qué objeto? La camisa era probable, por un lado. Pero no así el frasco de vaselina. Lo lógico hubiera sido que el presunto responsable llevara el pomo hasta el lugar del crimen. Esto es: a unos pasos del árbol de mango. Y no dejarlo sobre el capacete, expuesto a los ojos de todo el mundo, incluso para que pudiera ser visto desde un avión.

Aquí no hay mucho que hacer. Más claro ni el agua. El médico legista salió de la sala encendiendo un cigarrillo. En el fondo el hecho parecía derivar de una consecuencia lógica. Tarde o temprano esto iba a suceder. Así mismo se lo había expresado el procurador a mi hermano Felipe. Yo no doy resoluciones arrebatadas, amigo. Debería tener más tacto para tratar este asunto. No venga a decirme lo que debo pensar. El procurador se molestó por las insinuaciones de mi hermano Felipe, quien se mostró intolerante a la hora de pedir explicaciones. El procurador sacó de un cajón una carpeta y la deslizó sobre el escritorio. A ver si con eso se convence, dijo. Dentro de la carpeta estaban los informes enviados por la Comisión de Derechos Humanos. Había quejas en contra de mi hermano Ismael por abusos deshonestos y acoso sexual. A cambio de dejarlos en libertad, mi hermano obligaba a los detenidos, según se desprendía de las indagatorias, a realizar la felación, tanto de aquí para allá como de allá para acá. Era tal su desvergüenza, que lo hacía en su propia oficina, a riesgo de ser descubierto por cualquier gente. El procurador hablaba sin exasperarse. Luego dijo: por órdenes del gobernador, quien sé que es pariente suyo, tuve que calmar las aguas dándole una calentadita al presidente de la Comisión para que no llegara más lejos. Así que en lugar de venir a hacer reclamos, debería mejor agradecerme que no haya permitido hacer de esto un escándalo. Felipe mi hermano salió de la oficina hecho un nódulo. No sabía dónde esconder la cabeza. El procurador le había propinado un tubazo en el hocico. Felipe mi hermano bajó las escaleras y salió a la calle sintiendo sobre él un tumulto de miradas y dedos acusadores. En la funeraria no quise siquiera cruzarme con él. Estuve sentado al lado de Olga y mis sobrinos. Olga no perdía ecuanimidad. Estaba entera. Su semblante contenía cierto desconcierto, pero no había llegado a las lágrimas. Vestida con una falda negra y una blusa blanca con bolas negras, lentes oscuros y el pelo recogido, me preguntó en voz baja que cuándo nos volveríamos a ver. Su pregunta me pareció inoportuna y le contesté que lo veríamos más adelante. Entonces me levanté y fui al baño. Los baños de las funerarias parecen tumbas. Son como la soledad sonora o el silencio que habla. Me bajé la bragueta y me detuve en el chorro de orines. Espeso. Amarillento. Hediondo a salitre o azufre. Recordé que de niño siempre tuve miedo a que me enterraran vivo. A Joaquín Pardavé lo enterraron vivo. Nadie se dio cuenta hasta que uno de los familiares del cataléptico recordó que en una de las bolsas de su saco negro habían olvidado su testamento. Abrieron el cajón y lo que descubrieron fue a un hombre con la piel como subidero de tejones. Arañado, ensangrentado. Yo no supe hasta mucho tiempo después que esa anécdota era sólo un mito, si es que lo es. De nada me sirvió. Todavía conservo el miedo a que me entierren vivo. Despertar en la oscuridad de la caja, a dos metros bajo tierra. Arañar, gritar, aturdir. Sentir el sofoco en la respiración. Los pulmones apretados, el pecho contraído. Saber que nadie del otro lado me escucha y empezar a sentir el poco oxígeno viciado, sucio, lleno de dióxido de carbono. Ahora ese miedo había sido reemplazado por otros miedos. Luego de pensar esto pensé que no debía hablar de estas cosas en el pensamiento. Me hartaba pontificar. Llegar a verdades ciertas es en realidad no llegar a nada. Una puerta adelante, otra puerta atrás. Y yo en medio siempre, sin saber cuál de las dos abrir. Yo no dejaba ni de estar vivo ni de estar muerto. Yo era, pensaba, una masa de carne con patas y nada más, a la que un día don Chuy le metería un cuchillo en medio de los huevos. Don Chuy abriéndome en canal como a una sandía. Al salir del baño encontré a mi hermana Leticia, quien me dijo que Bulmaro estaba esperando por mí en el teléfono. Quiere hablar contigo. Fui al teléfono y cogí la llamada. La voz de Bulmaro mi hermano se oía esta vez igual a aquella voz que me decía: voy a traerte tu ajito caliente, jetón. Una voz callada, embalsamada. Un tono laminado. ¿Es cierto eso que me dijeron, jetón? Bulmaro mi hermano hablaba desde un rincón. ¿De qué?, pregunté haciendo que no entendía. Sabes lo que te estoy preguntado. ¿Es cierto? La voz de mi hermano empezaba a engrosarse. Se oía como si de un momento a otro no fuera a caber en el cable del auricular. Como si fuera a reventarlo. Sí, dije. Me negué a mí mismo a glosar la respuesta. Preferí apretarla contra las paredes de la garganta. Aunque tenía incertidumbres, sobre todo con respecto al móvil real del homicidio, no quise abundar más sobre el asunto, y menos después de lo que me dijo mi hermano Bulmaro. Dime si se trata de una venganza y ahora mismo me voy y armo una carnicería. No es necesario, hermano. ¿Me estás diciendo que sí, entonces? No, te estoy diciendo nada más que no es necesario. Mi hermano no quiso hablar más del tema. Sentí que se había quedado con algo ahí dentro. Me pidió que lo comunicara con mi madre y le pasé la llamada. Me despedí sin preguntarle cómo estaba ni dónde. Un año hacía que no sabía nada de él. Un año o quizá más. Pero su voz me sonaba tan cercana como hacía quince años. Cuando me di la media vuelta, vi a través del cristal de la puerta corrediza el automóvil de Karina, la amiga íntima de Silvia, estacionado frente a la funeraria, del otro lado de la avenida. Alcancé a ver a Silvia en el asiento del copiloto, quien al verme sacó la mano y me hizo una seña. Aun a riesgo de lo que pasara, atravesé la avenida para ver qué quería.

Después de varios días en el supermercado, Abel Corona se hizo diestro en la hechura de carne porcina, aunque el procedimiento, según lo dicho por el Chori, fuera cada vez diferente. Un poco de imaginación hay que echarle siempre a esto, como a la sopa la sal. Dependiendo qué tanta sal te guste es la sal que le echas. Si te gusta mucho la sal como a mí, le echas más sal. Y si casi no te gusta la sal, le echas menos. El Chori hablaba con propiedad. Sabía lo que decía. Abel miraba sus manos hábiles con el cuchillo. Sentado en un taburete, lo miraba torturar al puerco. Les encajaba varias veces el cuchillo en un muslo y luego introducía su dedo largo y flaco en la sangre caliente. Me gusta oír cómo chillan los cabrones. Grop grop grop. Sacaba el dedo embadurnado y se lo chupaba, limpiándose con el antebrazo los bigotitos escurridos de sangre. Afilaba otra vez el cuchillo. En el viento se oía la raspadura del afilador sobre la hoja de metal. Matar a un puerco parecía un ritual. El Chori gozaba martirizándolos, antes de asestarles el cuchillazo definitivo en la nuca. No sé qué olor me gusta más, pinche güero: si el de la gasolina, el de la sangre o el de la marihuana, dijo sacando de la bolsa del pantalón roto un canuto. Pura canibalis, pinche güero, agregó. Será *canabis*, güey, corrigió Abel. Pues será tu abuelita en bikini, rió pelando las encías. El Chori encendió el cigarrillo de marihuana y dio dos buenas chupadas, que le contrajeron el cuello y la mandíbula. Luego extendió a Abel el cigarro: dale. Abel cogió el cigarrillo entre el índice y el pulgar y dio una jalada conteniendo la respiración. El Chori contó que la primera vez que fumó marihuana por poco se muere. Sentí que se me iba a salir el corazón por el hocico, verdá buena. Metí la cholla en un balde con agua fría. Parecía mosca borracha. El corazón saliéndoseme por el hocico. Ay güey. En cambio, el compa dueño de la casa en la que estábamos, que por cierto tenía un machín de marihuana que hasta parecía montaña rusa, se metió como tres cigarrillos así grandotones y gruesos como una verga de negro. El compa nomás bailaba, los párpados caídos, pesados, lento lento. Bailaba una canción de Kiss. Lento lento el compa. Moviendo la mano, lenta, de un lado a otro, tronando despacito los dedos. Lento lento. Tres cigarrones llevaba el güey y ni siquiera se había despeinado. El Chori ahora le había cortado una oreja al puerco, que empezó a berrear como chivo apachurrado por una llanta de tráiler. Segundos después, salió de la carnicería el grito de don Pedro. ¡No se te quita la costumbre, verdad cabrón! Chínguiasu. El Chori le dio un sopapo al puerco en la nuca. Ya ves lo que ocasionas, pendejo. Abel Corona no olvida el ojo del puerco agónico. No puede mirar el televisor porque el ojo del puerco en su cabeza, su ojo inmóvil perdiendo poco a poco el brillo, ya incluso no ve reflejado su rostro ahí, le emborrona las imágenes que irradia la pantalla. Está exhausto. La jornada ha sido insufrible, y no se diga los sábados, en que debe levantarse a las cuatro de la mañana. Los sábados se vende barbacoa en el supermercado y eso requiere estar en pie antes de que amanezca. Hortensia se detiene a un lado de Abel y le ofrece un vaso de leche con un pan. Abel lo coge sin decir gracias, absorbido como está viendo a través de la pantalla, al fondo, rebotando como una canica, el ojo del puerco. Lento lento. El ojo que lo mira desde el suelo, mientras el cuerpo del animal empieza a flotar sobre un charco de sangre. Abel se levanta de la silla, deja el vaso vacío sobre el pretil de la cocina y va a su habitación. Es un sonámbulo. Hortensia lo mira con cierta apatía. Se oyen cierres de maletas abriéndose en el interior de la habitación. Hortensia se da cuenta de que Abel está buscando algo que no va a encontrar. Sigue picando un trozo de pepino de la comida de ayer. Le pondrá chile, sal. Le pondrá mucho limón. Se lo comerá viendo la telenovela de las ocho. Abel no se ha percatado de que Rodolfo está encerrado en la habitación de las Lesbianas. Lleva dos horas durmiendo. Tampoco sabe que Hortensia y él comieron juntos, y que Hortensia le calentó las tortillas y lo estuvo mirando un poco alelada mientras él (Rodolfo) devoraba la sopa de codito. Alelada viendo su pelo rubito, con apariencia húmeda y roles en el nacimiento de la frente. No supo que cuando él (Rodolfo) levantaba la cabeza, ella (Hortensia) desviaba la mirada hacia sus manos tamborileando sobre la mesa. Él (Rodolfo) volvía a bajar la cabeza y ella (Hortensia) volvía a mirarlo alelada. Sus manos se rozaron varias veces. Sus manos se rozaron varias veces al dar y recibir una tortilla o un cubierto. Hortensia dejó el cuchillo a un lado de la tabla para picar, y fue a la habitación. Encontró a Abel inclinado sobre su maleta, buscando en las bolsas laterales, desesperado. Se me había olvidado decirte que Paty te agarró prestado dinero, acotó Hortensia. Abel se levantó de un tirón. ¿Cómo? Me dijo que ahora que fuéramos a Monterrey te lo iba a reponer. Ella también empeñará algunas cosas. Se formó un nudo en la boca del estómago de Abel. Las manos comenzaron a sudarle. Tuvo que limpiarse el sudor frío que le brotaba de la frente. Su cabeza era una revoltura de levadura. Un amasijo de pan mojado. Pues lo que debe dejar es esa chupadera que se trae, dijo Abel sintiendo vértigos concéntricos en el centro de su cabeza. Ay, Abel, ¿cuál chupadera? Tiene más de mil años diciendo que vamos a ir a Monterrey y nada, espetó Abel intentando volver a tierra. Ahora estaba volando por nubes y pompas de jabón sobre un desierto amarillo ondulando igual que una alfombra mágica. Entonces preguntó: por cierto, ¿a qué hora llega? Hortensia responde que Paty y Mireya se han ido a Nuevo Laredo hoy en la mañana. No vienen hasta dentro de tres o cuatro días, el lunes o martes. Por eso te agarró prestado el dinero, mintió Hortensia. De pronto, se escucha un disco de Los Tigres del Norte en la habitación contigua. Apenas alcanza a distinguirse la letra de la canción. Se oye el acordeón y los rasgueos de la guitarra, lejanos, sofocados por una caja de cartón mojada. Abel Corona se da cuenta de que Rodolfo está ahí, acostado seguramente en la cama con las patotas abiertas, metiéndose los dedos en las narices. Tragando palomitas. Si había pensado confesarle de una buena vez a Hortensia lo del dinero, prefiere dejarlo para otro día. El ojo del puerco le rebota todavía al fondo de la pantalla que ahora se le ha instalado en la cabeza. Una pantalla de ondas cortas y largas que se alejan y regresan en aluviones de imágenes azules y amarillas, rojas y marrones. Lento, lento. Abel está cansado, sediento. No puede sostenerse en pie.

Los días que vendrán serán agotadores. Levantarse casi de madrugada le desmiembra el cuerpo. Lo que gana en el supermercado no está mal pero podría estar mejor. Todo en este país podría estar mejor siempre. Su mejor lema es: "Disculpe las molestias. Obra en construcción. Trabajamos para servirle mejor". Nada está hecho. Nada está resuelto. Mientras se echa en la cama como un perro, ladeado mirando hacia la puerta, Abel recuerda la historia de su hermano Teodoro y su esposa la Pémex. Asociación inconcebible: la vida podría estar mejor siempre. O lo que es lo mismo: con eso me conformo, Teodoro. Dando vueltas en un rehilete, Abel fija su rostro en la memoria. Son Teodoro su hermano y la Pémex su cuñada. Le dicen la Pémex a la Pémex porque tiene la piel de chapopote. Piel negra. Un camuflaje a la medida. La Pémex se conformaba con eso. Con un toldito en el rancho es suficiente, Teodoro, aunque cocine con leña y lave ropa en el río. A leche y pan, Teodoro. Con eso me conformo. La Pémex se conformaba. Y venga Teodoro yéndose a vivir al rancho. Venga haciéndole un toldito a la Pémex en una de las eras de El Mezquite. Poniendo las primeras piedras de su hogar. Los primeros cimientos de su futuro. Disculpe las molestias. Trabajamos para servirle mejor. Y luego venga la Pémex otra vez. Con una estufa de dos quemadores es suficiente, Teodoro. Ay, fulana tiene estufa eléctrica. Yo con una de dos quemadores me conformo. La Pémex se conformaba. Y venga que va y viene Teodoro por la estufa de dos quemadores. La instala en la habitación que no es habitación sino un toldito. Dos meses después de la estufa de dos quemadores, venga otra vez la Pémex, ahora conformándose con una lavadora aunque sea de manija con eso tengo, Teodoro. Con eso me las arreglo. Ir al río me lleva casi dos horas. La Pémex se conformaba con una lavadora de manija. Una de ida y una de regreso, Teodoro. Al río. La imagen de Teodoro yendo viniendo y dando vueltas en un rehilete seguido de la Pémex cargada de montañas de bártulos ronda los ojos de Abel hasta sellárselos de sueño. Con eso me conformo, escucha un eco al fondo de un pozo sin fondo. Con eso me. Con eso. Con. Cuando Hortensia ve que Abel se ha quedado tieso de dormido, cierra la puerta tras de sí y va a la habitación de las Lesbianas. Se sienta a un lado de Rodolfo y empieza como él a tararear en voz baja la canción de los Tigres del Norte. El vientre de Hortensia, en esa posición, se nota más pronunciado de lo normal, aunque su embarazo no llegue aún a los cuatro meses. Rodolfo se echa hacia delante y le da una mordida en la nunca. Hortensia voltea y guiña un ojo por encima del hombro. Sigue tarareando la canción. ¿Le dijiste lo del hombre?, pregunta Rodolfo. La primera vez sí, pero la segunda no. Llegó como drogado y no quise gastar saliva en balde. Mmm. Rodolfo explicó que mañana no podría verla porque tenía que llevar a su hermana al médico. ¿Y ahora qué tiene? Hortensia se recuesta sobre la cama y su cabeza queda a la altura de las piernas de Rodolfo. Le ha dado por embarrarnos las paredes de caca. La dejé amarrada en la bodega de la zapatería, donde da vueltas la pobre como una burra. Aunque la hermana de Rodolfo había nacido con un leve retraso mental, los doctores, debido a su agresividad, prescribieron medicamento para mantenerla bajo control. Pero el medicamento trajo efectos colaterales que empezaron a deschavetar a la criatura al punto de llegar a masturbarse delante de familiares y amigos, en reuniones o encuentros ocasionales, en la calle o en el salón comedor. Como una puta loca. Se levanta la falda o se mete la mano por encima del pantalón, frotándose ahí con desesperación, como si intentara quitarse una mancha de aceite. Me puse nerviosa y le dije que el dinero se lo había agarrado prestado Paty. Hortensia se incorpora para bajar un poco el volumen del aparato. Lo hace con esfuerzo. Primero un empujón con una mano. Luego con la otra. Pero no te preocupes. Si es necesario, le diré a Paty que lo hice para evitarme problemas. Mmm. Ella me comprenderá. Ella sí, pero mi madre quién sabe. Hortensia no dice nada sobre la madre de Rodolfo. Decide callarse la boca. La madre de Rodolfo le había mostrado expresamente a Paty su inconformidad de tenerla a ella y al muchacho ese (Abel) viviendo en casa. La madre de Rodolfo es neurasténica. Tiene el disco rayado. Se le raya de súbito. Ha empezado a tener problemas con Paty por eso mismo. No los quiere ver aquí. Además, Teresa le ha dicho a Hortensia que la tienen literalmente de sirvienta. Teresa exagera. Teresa trabaja en un comedor, sirviéndole comida a albañiles y chalanes. Es un comedor de los Robles. También dejó Colima para evitarse problemas con su padre. Lesbiana, tortillera, machorra, bollera, cimbalita, sáfica. Palabras que no toleraban sus oídos. Los oídos de su padre. Por eso huyeron de Colima. Primero Paty. Más tarde Teresa.

Abel abre los ojos y lo primero que ve es el antebrazo de Hortensia colgando sobre su hombro. Gira la cabeza. Hortensia sigue dormida, sin inmutarse. Afuera se oye que alguien toca la puerta. Se escucha el ruido de un motor de automóvil. Abel estira la mano para alcanzarse el reloj y se da cuenta que son casi las cinco de la mañana. Echa a un lado el brazo de Hortensia, se enfunda pantalón y camisa y sale corriendo por el corredor. Al abrir la puerta lo primero que encuentra delante de él es el bigotito del Chori.

¿Y luego, pinche güero memelas? Se me hizo tarde. Abel se abrocha el cinturón y se enfunda la camisa. Apúrale, compadre, grita desde la camioneta Lucio. Suben a la camioneta y avanzan por la calle todavía desierta. Oscura. La neblina ha descendido hasta los cantos de las banquetas. Es una mañana templada. Abel no logra despertar del todo aún. Se quita las lagañas de los ojos con saliva. Mira las gruesas canillas de Lucio asidas al volante. Fuera, en la calle, pueden verse algunos focos encendidos en el interior de las casas. Sombras de gente a través de las cortinas. El tiempo transcurre justo en la frontera de la vida y de la muerte. En esa frontera donde sucede todo sin pasar nada. ¿Dónde ha escuchado eso? ¿Lo ha leído? Piensa en la propuesta que le hizo el Chori ayer. Tal vez sea mejor que lo que tiene ahora. Seis horas de trabajo. Sólo se trata de limpiar los cuartos con ajax y cloro, para eliminar el olor a sexo de los cuerpos jadeantes. Líquidos seminales. Sudores agrios. Y hasta mierda. Cambiar sábanas y rociar un líquido perfumoso. Un perjume. *Son tus perjúmenes mujer*, oye la voz del Chori. Llegar a las diez de la noche y salir a las cuatro o cinco de la mañana. Bien pagado. Además, las putas son generosas y dan siempre buenas propinas si las tratas bien. El bule está en la carretera hacia Nuevo Laredo, a cuatro kilómetros de aquí. Son cuatro casas de putas en escuadra. Un muro de ladrillos carcomido de un metro y medio de alto, construido nomás para que no alcancen a ver los niños lo que se cuece dentro. No es como el muro de Berlín, sino como el de los gringos. Está ahí para que todos lo crucen. Es un muro matalascallando. El Chori se refiere al congal de Lupe. Está enfrente de la carretera. Un paraíso. El promedio de clientes es de narcotraficante para arriba. Congal políglota: putas con toda clase de lenguas. Lenguas mamadoras. Una torre de lamer. Abel empieza a imaginar a las mujeres vestidas con sus ligas y sus zapatillas de plataforma. Tangas corte brasileño. Bodies rojos. El pelo largo rubísimo, las piernas bronceadas, las cejas depiladas recorridas por una línea brillante de color naranja. Estaría llegando a eso de las diez de la noche, con su guitarra al hombro cual cantaor y no simple limpiaculos. Vería a las mujeres bebiendo con los clientes. Algunas siendo tocadas en los muslos por una mano obscena. Consumiendo una copa de vino tras otra copa de vino: las mujeres. Una ficha, otra ficha. Fichando a diestra y siniestra. Están bien pachecotes los clientes. En una esquina del congal estaría tocando un grupo musical conformado por un hombre de lentes oscuros en la batería (el Ciego), un gordo de pelos tiesos parados en el bajo (el Telurias) y un guitarra que hace de primera voz. Anunciando a las putas, como siempre, un puto. Un puto gordo. Un gordo muy puto. Putísimo. No se levanta ni para ir a mear. Él es Ella. Por eso le llaman El Congal de Lupe. Lupe es ese gordo que le llamaría a Abel para ordenarle lo que tiene que hacer, tal como lo hizo con el anterior muchacho que hacía lo que ahora Abel haría. Después de cada comercio, limpiar bien la habitación, incluyendo las paredes, que es donde queda impregnado el olor a pito. Lupe puede reconocer el olor a pito a dos kilómetros de distancia, de querer. Luego vaporizas arriba abajo y cambias sábanas y colcha. Que quede listo para el siguiente show. Lo bueno de este trabajo es que puedes cogerte a la vieja que quieras, dice el Chori. Abel sufre un revolcón. Piensa en la muchacha de pelo rubio y piernas delgadas. Pelo rubio hasta la cintura que vería todas las noches bailando en la pista. Se quedaría con ella cuando cerraran el congal. Se llamaría Sol. Como él, Sol tampoco tendría adonde ir, sería una nómada en busca siempre de un sitio adonde ir. Las putas son las emigrantes por excelencia. Su cuerpo es un tráiler de ocho ejes sin destino ni paradero. Su cuerpo es un estarse yendo, siempre, hacia ninguna parte. Viajeras inmóviles, están aquí viviendo en otra parte. Son el presente. Por eso no existen. Puro humo en los ojos. Ese humo que sale de la pista de baile y que las hace desaparecer de un instante a otro. Abel odia su cabeza pensante. Por más que intenta reprimirla, no puede evitarlo. Su cabeza llega a conclusiones absurdas, inútiles. Conclusiones basura: no sirven de alimento. Comida chatarra. Plaf, tira al suelo su cabeza pensante cuando llegan al supermercado. Lucio estaciona la camioneta al lado de la bodega, junto al mosaico. El Chori babea de dormido. Lucio le da un sopapo en la cabeza. Ya despierta, cabrón. Abel abre la puerta y desciende. Estira los brazos todavía en la oscuridad. Se oyen cantos de gallos desvelados entre las tejas rotas. De un barril de doscientos litros cubierto con un plástico negro, Lucio extrae las bolsas de carne para la barbacoa. Acuérdame de que separe un plato para Sandra, dice. El Chori se saca los zapatos negros tipo mocasín y se enfunda las botas de plástico, que le quedan (apenas se da cuenta Abel) dos números grandes, lo que lo hace caminar igual a un buzo que va emergiendo del mar. Allí adentro hay café y pan, por si quieren. Lucio es el único que habla. El Chori no ha despertado todavía. Enjuto, trasijado como está. Abel no sabe en realidad qué hacer. Ve un poco ocioso que se requieran tres pares de huevos para hacer una simple barbacoa. Un solo hombre pudiera hacer el trabajo. Abel intenta evadir las palabras de Hortensia con relación al hombre que ha ido a buscarlo. Pero no puede. El pensamiento permanece fijo como un clavo en el concreto.

Seguro ha sido mandado por Roberto Alanís. Tiene un poco de temor de ser sorprendido. Imagina que cualquier hombre que ve voltear hacia el interior del supermercado es el hombre que anda buscándolo. Ve moros en la costa. En la costa desierta. Espejismos o figuraciones. Si lo agarran, lo descuartizan. Un batazo en la cabeza. Un cuchillazo en el cuello. Un balazo en la sien. Trepa el miedo por su columna vertebral, invade su esqueleto de ansiedad el miedo. Despierta ya, güero, y ponte a lavar el barril. Lucio es el único que habla. Abel va y coge el barril y lo hace rodar hasta el surtidor de agua. Conecta la manguera y abre la llave. El chorro sale a presión, porque lo sacan con bomba de un pozo. Abel apunta la manguera al interior del barril y mira caer las costras de mugre y terrosidad en el suelo de tierra. Al terminar, rueda el barril nuevamente y lo sube al quemador del mosaico. Lucio echa la carne lavada, los huesos, vacía la cubeta con el jugo de tomate. El Chori, con las manos metidas en las bolsas del pantalón, lo mira sin parpadear. Abel se da cuenta de que el Chori tiene mil años con el mismo pantalón y la misma camisa, abierta del pecho lampiño. Que no se pase, dice Lucio al salir de la bodega. Abel y el Chori se miran a los ojos. El caldo empieza a hervir. El jugo de tomate cambia de un rojo pálido a uno marrón. Borbotea el caldo de la barbacoa. El Chori remoja un dedo y se lo chupa. A esta madre le hace falta sal, dice y arroja dos escupitajos al interior del barril. Así está mejor. Abel se arrima al barril y, sin pensarlo dos veces, arroja dos gargajos verdosos también. Así está todavía más mejor, acota. Entonces el Chori echa otro escupitajo más. Y, sin quedarse atrás, dice: así está todavía mucho más mejor. Abel voltea para cerciorarse de que nadie lo ve, raspa la garganta dos veces y arroja otro gargajo más al interior del barril. Este sí es un gargajote. Dice: así está todavía muchísimo más y muchísimo mejor. Abel y el Chori se entretienen echando gargajos a la barbacoa hasta que la barbacoa consigue su punto de cocimiento. La carne puede desprenderse de los huesos sin dificultad. Está tiernísima. El Chori alcanza una tabla recargada sobre la pared y remueve el caldo haciendo círculos hacia un lado y hacia otro. Luego, apaga el fuego y desconecta la manguera del gas. Cuando vuelve Lucio de la carnicería, Abel y el Chori están sentados sobre la pileta fumándose un cigarrillo. Están haciendo cabriolas en el aire. ¿Listo?, pregunta buscando alertar a los interlocutores. Sí, dice el Chori. ¿Cómo quedó? Estábamos esperándote para que le dieras el visto bueno. Lucio mete una cuchara pozolera en la barbacoa y la extrae copeteada de caldo. Sopla dos veces para enfriarla. La toca con la punta de la lengua. Continúa caliente. Entonces da ahora un soplido prolongado. Pone la punta de la lengua otra vez y luego se la bebe toda de un jalón. Buenísima, dice. Se chupa los labios y las comisuras. El Chori esboza una sonrisa maliciosa que Lucio no alcanza a ver. Hay que vaciar en esas tres ollas la barbacoa y colocarla en la mesa junto al congelador. Mientras inician la labor, Abel se da cuenta de que nadie le ha preguntado de dónde viene ni a qué ha venido aquí. Resulta extraño que haya pasado como un fantasma entre la gente. No sabe si imaginan lo que ha hecho y prefieren no inmiscuirse en asuntos que no les incumben o simplemente les importa un pito lo que haga o deje de hacer. Carmelo pudo haberle comentado algo a don Pedro, quien a su vez le dio nula importancia. Como siempre, Abel no percibe con claridad el camino que pisa. Es como manejar un tráiler en una carretera nocturna. Puedes ver las luces de los automóviles a lo lejos, acercándose, venidos de un túnel que se engrosa cada vez más, pero no es posible distinguir con certeza lo que hay al lado de la carretera, si casas o vacas muertas, si un motociclista herido o un armadillo aplastado por un automovilista despistado. Tienes sólo por guía esa luz al fondo de la carretera interminable. Abel odia estos pensamientos súbitos. Venidos de no se sabe dónde. Odia que se mezclen con su realidad. La realidad es un caldo de barbacoa y un jabón espumoso con el que limpia la suciedad del mosaico, y no lo que tú quieres creer. La realidad no son sus manos, sino lo que ellas (sus manos) tocan. Está aquí y todavía no ha logrado aprender el nombre de la calle donde vive. Ni la ruta más corta para llegar a ella. Ni tiene una imagen clara de la fachada de la iglesia del pueblo. ¿Blanca? ¿Barroca? ¿Habitada por pedófilos o sátiros? Su sola imagen es el corredor de la casa de las Lesbianas. Las alacenas con las bisagras vencidas rechinando al abrirse al cerrarse. El olor a patas de los muebles desgastados. El burro de planchar en su habitación. Hortensia con el rostro desfigurado, borroso, cada vez más incierto. Cuando por fin terminan de meter los huesos y la mierda de basura en los barriles, el Chori y Abel los colocan en la camioneta, apoyados contra la puerta corrediza. Deben descargarlos en el basurero municipal ubicado en los márgenes del pueblo. Lucio sale y entrega las llaves a Abel. No tarden, ordena. Estará esperándolos para cerrar el supermercado y el portón con candado, no quiere que otra vez vayan a meterse los vándalos de La Atrevida. Don Pedro no perdonaría tal omisión. Este día, por cierto, no ha asomado sus narices don Pedro por aquí. Es un hombre de recursos. No tiene ninguna necesidad de levantarse a las cuatro de la mañana a remover un caldo de tomate. Su familia es propietaria del pueblo, de sus habitantes y de las posesiones de sus habitantes. Son los Robles. Los que han traído la luz, repartido el agua, creado el empleo, auspiciado las fiestas del día de muertos, desarrollado la industria, reconstruido la plaza de toros y ahuyentado la revolución. Si ellos se fueran, el pueblo se caería en pedazos. Sería un desierto más en medio del desierto. Son los Robles.

El Chori y Abel suben a la camioneta. Abel va al volante. El Chori indica la ruta. Salen del supermercado y doblan en la primera esquina hacia la izquierda. El Chori enciende un cigarrillo y saca la cabeza para saludar a una muchacha de conjunto verde que va con andar rápido por la acera de enfrente. Es mi morra, dice levantando cejas. Dos cuadras adelante, vuelve a sacar la cabeza para saludar a otra muchacha detenida en la esquina esperando a alguien. La muchacha tiene apretado el bolso contra el abdomen y se nota un poco sorprendida al escuchar las palabras del Chori. Es mi otra morra, dice. En la boca de Abel se dibuja una sonrisa. Mueve la cabeza de un lado a otro. Siente afección por el muchacho que lo acompaña. Sus botas de plástico enlodadas encima del tablero, el cigarrillo apretado entre los dientes. Cinco cuadras más adelante, el Chori saca de nuevo la cabeza y grita a una muchacha de pelo negro corto y caderas anchas que no lo espere a dormir esta noche. Estaré en reunión con el señor presidente, mi amor. Mete la cabeza y dice: esa es mi morra también. La mera mera morra. Da vuelta en ésta y sigues derecho. Conforme avanza, Abel empieza a descubrir más zonas despobladas en el pueblo. Manchas vacías que se extienden hacia las montañas. Un puñado de casas aquí, otro puñado más allá. La avenida que han tomado es ancha y pavimentada, parece una avenida de algún condado gringo encallado en Los Ángeles. Al llegar a la altura de la fábrica textil, Abel se percata de que un Maverick negro ha estado siguiéndolos a una distancia considerable casi desde que salieron del supermercado. Fija la vista en el retrovisor intentando precisar los rasgos del conductor, pero no lo consigue. Sólo ve un bigote negro y unos lentes oscuros tipo Ray Van. Tal vez sea el hombre, piensa. Sigue conduciendo a velocidad moderada. Dos cuadras adelante se orilla a la acera y se detiene. ¿Qué? El Chori pregunta medio aturdido. Es que ya me meo, contesta Abel. Abel baja de la camioneta y detrás de él, el Chori. Un mexicano nunca orina solo, compadre. El Chori se baja la bragueta. Abel se acomoda en la llanta delantera derecha y hace la parafernalia de que está orinando. Se detiene y ve pasar el Maverick negro, que da vuelta en la siguiente esquina. La mirada del conductor y la mirada de Abel se cruzan en un punto del aire. Es un hombre de algunos 35 años. Malencarado. Pelo corto relamido con vaselina. Piel blanca. Bigote grandazo que impone. Abel siente una ensopada de miedo. Está desequilibrado. El piso ondula bajo sus pies. El Chori sube la bragueta de su pantalón y pide a Abel que lo deje manejar. Abel responde que no con un movimiento de cabeza. Lo dijo muy claramente don Pedro. El Chori insiste. Te presto a mi hermana si quieres, güey. Abel niega otra vez con la cabeza. Continúa en pie donde mismo, esperando ver si aparece otra vez el Maverick negro en alguna esquina de la avenida. Te presto a mi hermana y a mi mamá si quieres, pues, güey. Abel no contesta. La sangre empieza a templársele. El miedo desaparece. Por primera vez percibe frialdad en su mano. Su mano en este instante podría jalar el gatillo de una pistola. Dar un pistoletazo. En un sesgo, ve de pronto a lo lejos el Maverick negro, que va en dirección al pueblo. El Chori no ceja en su empeño. Dejo que me la chupes hoy en la noche si quieres, pues, pinche cejas de becerro güero. Abel dice un sí sin saber lo que dice y entrega las llaves al Chori. Sabía que te gustaba el arrocito con popote. Segundos después, Abel se percata de lo que ha hecho, pero ya no puede echar para atrás. El Chori está arriba, asido al volante. Encumbrado. Soy el rey de la Fórmula Uno. Soy Schumacer cabrones. Monta la camioneta y presiona los pies contra el piso. Despacio, Chori. A huevo, 160, 170. Arranca derrapando las llantas. El Chori acelera. Pasa unos topes sin detenerse. La camioneta se tambalea. Despacio, güey. Sí, güey. Burlesco el Chori. El Chori tiene en el rostro una expresión de éxtasis. Es un niño con juguete nuevo. Va transformándose en otro conforme avanza, igual que una serpiente que cambiara de piel. Je jey. Pasa una calle. Pasa otra calle. No se detiene en los cruces de calle. No respeta los señalamientos viales. Salen de la última calle asfaltada del pueblo y siguen por la terracería. El Chori acelera más. Es Schumacher. Rey de la Fórmula Uno. Da vueltas de bandido. Je jey. Las ramas golpean las puertas laterales del vehículo. Despacio, güey, me vas a matar. El Chori está desorbitado. Sordo, casi ciego. Se alza en la pendiente del vado y cruza la puerta del basurero municipal a gran velocidad. Hay montañas de basura por todas partes y solo un camino angosto, que el Chori transita sin precaución. Da una vuelta, poco más adelante gira el volante y da otra. En la tercera vuelta hacia la izquierda pierde el control. La camioneta empieza a subir una torre de basura. La camioneta va subiendo hasta quedar con dos llantas en el aire. La camioneta cae sobre un costado. Cae sobre el costado del Chori, que propala por todos los vientos un grito seco y ensordecedor. Un grito hueco. Aaayyyyy mi huevo izquierdo. La cabeza de

Abel golpea contra la cabeza del Chori. Las dos cabezas suenan como un coco. Viéndola de lejos, la camioneta parece un puerco moribundo, desangrándose. Viéndola desde una altura considerable, parece más bien un bote de cerveza apachurrado. De lejos y desde lo alto nadie sabría que dentro de la camioneta dos muchachos se acaban de dar tremendo chingadazo. Y quizá, desde lejos y desde lo alto, ese chingadazo tremendo sigue siendo nada en comparación con los muertos de Vietman. O con los muertos de este país, cuya maquinaria de mierda mata a más de uno diariamente. Ya viste, pendejo, grita Abel. El Chori se queja, está sobándose la cabeza. Tú tuviste la culpa, pinche güero. Ah, ¿yo tuve la culpa, baboso? Sí, pa' qué me prestaste la camioneta, a ver. No digas, no me digas. Abel mira hacia arriba. Coge el marco de la ventanilla y se impulsa en el abdomen del Chori para subir. A la camioneta se le ha roto el cristal parabrisas y el retrovisor izquierdo, hasta donde alcanza la vista. Chori usa un palito intentando inútilmente levantarla. No te hagas el baboso y busca a alguien que nos ayude. El Chori pretende oponerse. Calla calla calla, no olvides que yo soy el Jefe Fórmula Uno. Abel no puede evitar esbozar otra sonrisa. Le hace gracia el Chori. Es ocurrente. Aunque se muestra preocupado, da la apariencia de tener la situación bajo control. Abel recuerda de pronto la advertencia de Lucio. Quería poner los candados para evitar que los malandrines de La Atrevida se volvieran a meter a robar. Los malandrines desaparecían palas, cazos, palos de escobas, botellas de cerveza. Recuerda que Lucio... Abel no alcanza a terminar de decir lo que trae en mente. El Chori se adelanta: no te apures, berraco, hoy no les robarán nada. ¿Cómo sabes? El Chori guiña un ojo. Porque yo soy los malandrines de La Atrevida. Je jey.

Yo soy el Gran Vergudo. No me digas que tú... Hijo de la chingada. El Chori mueve las manos de arriba abajo pidiendo calma. Mira, dice, si no soy yo es otro. Y de que sea otro a que sea yo, pues soy yo, ¿qué no? Es como cuando tienes un platonón de frijoles que no te puedes terminar y dices: de que se quede a que me dé chorro, pues que me dé chorro. Igualito. Ya ni la amuelas, dice Abel. Además, continúa el Chori, me llevo nomás lo que les sobra. Si yo veo que el objeto del delito tiene dos días ahí sin que nadie lo toque, pues me lo llevo y lo uso yo. Mejor ve a buscar a alguien que nos ayude a levantar esta cosa, dice Abel. El Chori se va, tarda como quince minutos y luego regresa con tres muchachos garrudos, que en un abrir y cerrar de ojos ponen en pie la camioneta. El Chori saca un canuto de marihuana y se los da en agradecimiento. La puerta lateral izquierda de la camioneta está hundida. La camioneta cayó sobre una piedra choncha y hundió la puerta. El cristal del parabrisas tiene un agujero en el medio. Mejor fue quitar el retrovisor, Lucio, porque la verdad quedó hecho una mierda. Sí, el güero es una mierda, Lucio, dijo el Chori. ¿Y quién está hablando del güero, Chori? Lucio no da crédito a lo que está viendo. Mi abuelita la muerta viviente, dice el Chori. Mejor váyanse y mañana yo veo qué le digo a don Pedro. El Chori desvió la vista porque no soportó la mirada ensimismada de Lucio sobre su cuerpo. Que sea la última vez que agarras la camioneta, cabrón. Que sea la puta última vez. Te salvé de lo del puente. Te voy a salvar de esta. Pero no se te ocurra enmierdarme la verga otra vez porque te mocho los huevos. Te ves refeo enojado, Luci, verdá buena. Pareces camote podrido. El Chori lo dice aguantándose los nervios. Lucio se voltea y, de espaldas al Chori, da una sonrisa al aire. No se puede con este vale. Son casi las ocho de la noche. Abel se lava las manos en la llave junto al portón y dice nos vemos mañana. Hace el recorrido por una callecita oscura, donde encuentra al paso pequeños restorancitos de comida y taquerías en las esquinas. Hay una taquería en cada esquina. Recuerda lo que dijo una vez su padre durante la comida: en el fin del mundo verás un negocio detrás de otro. Un negocio detrás de otro. Esa es la señal de la desesperación. La gente se empezará a colgar de las horquetas de los árboles, o se meterá un tiro en la cabeza, o se arrojará de un puente, o se tirará de un edificio, o se atragantará de pastillas para morirse. Sea gente rica o sea gente pobre. Un negocio detrás de otro: señal de que todo se está cayendo a pedazos. Volveremos a ser caníbales como hace miles de años. Abel abre el cancel y toca a la puerta. Hortensia se asoma por la ventana y lo ve de arriba abajo. Pensé que no llegarías, dice fingiendo preocupación. ¿Por?, pregunta Abel mientras entra y se apoltrona en el equipal. Hortensia coge su bolso y, sin que se dé cuenta Abel, esconde en él un bulto pequeño, del tamaño de una bolita de ping-pong. Luego introduce el bolso en el segundo cajón del trinchador, deslizándolo debajo de otros papeles. Porque vino a buscarte otra vez ese hombre. Esta vez le dije que si se le ofrecía darme la razón y me dijo... ¿Andaba en un Maverick negro? Sí, mintió Hortensia. ¿Lentes oscuros y bigote grande? Sí, mintió otra vez Hortensia. No te había querido decir, pero yo a Roberto Alanís... Ya me lo dijiste, se adelantó Hortensia. Abel no recuerda con precisión cuándo pudo haberlo dicho. Está su cabeza llena de confusiones. De pronto siente un pie al borde del abismo. De pronto se ve cayendo al fondo de un desfiladero. Hortensia mira que el plan trazado con Rodolfo está dando resultados y pone una rodilla más sobre la espalda de Abel. Esos no perdonan a nadie, Abel, tú lo sabes. Hortensia habla en tono melodramático, como si fuera una actriz de telenovela. Están solos en la casa. Unas semanas antes de que llegaras (Hortensia ha alcanzado una silla para sentarse) encontraron a un hombre muerto aquí en la siguiente cuadra. Estaba descuartizado. Según una amiga de Paty que es a su vez amiga de uno de los policías encargados de la investigación, el hombre se quiso pasar de vivo. Al parecer tenía nexos con el narcotráfico y ellos mismos se encargaron de cerrarle el pico. Dicen que le metieron alfileres entre las uñas y después se las arrancaron una por una como si estuvieran arrancando manojos de cilantro. Las uñas de las manos y de los pies, eh. Luego le sacaron los ojos y le quemaron la espalda con un soplete de soldador. Le arrancaron un pedazo de cuero de la cabeza. Le cortaron los hombros con una sierra. Lo encontraron con una bolsa de plástico en la cabeza, embrocado en el excusado, y las manos amarradas con un cable. Dice la amiga de Paty que le dijo su amigo el policía que uno de los altos mandos lo mandó llamar un día para pedirle que no metiera mucho las manos en ese asunto. Haga como que investiga, pero tómese en realidad unas vacaciones. Mientras Hortensia relataba el suceso, Abel estuvo buscando una solución en su cabeza revuelta. Estaba otra vez frente a dos puertas enormes. Una puerta adelante y otra puerta atrás. Una puerta por la que podía entrar para esconderse a riesgo de que lo encontraran y otra por la que podía huir a riesgo de que lograran capturarlo. Las dos puertas estaban cerradas: una adelante, otra atrás. La vida le ofrecía estas posibilidades: lo posible, lo imposible. Luego entonces, la vida le ofrecía muy poco.

Mi hermana viene de Coalcomán a continuar sus estudios y no cabemos en la habitación que estoy rentando ahora, mentí al propietario de la casa. El viejo miró fijamente los ojos de Silvia. Mostraba reticencia. Sí, se adelantó Silvia con entereza. Ojalá usted pudiera... El viejo pidió dos meses de depósito y una carta compromiso firmada por nuestros padres. Cuente con ella, acoté. Después de firmar el contrato y de prometer traer la carta la próxima semana, una vez que volviéramos de Coalcomán, el viejo me entregó la llave. Espero que no sean ustedes de esa clase de jóvenes que van haciendo destrozos por la vida. El viejo se metió los dedos entre el cabello y se chupó los labios. Así como encuentren la casa quiero que me la conserven. Descuide, don Guillermo, dijimos despidiéndonos. Silvia y yo salimos a la calle. Mientras subíamos la cuesta hacia el Sagrado Corazón de Jesús, le agradecí el favor. Silvia me dijo que si quería podía ayudarme a acomodar mis cosas. Tengo el día libre. No hace falta, contesté. En la esquina de Casa Gallardo nos despedimos dándonos un beso de lengüita. Silvia me metió las manos por atrás del pantalón y me apretó las nalgas. Te quiero, muñeco. Sus ojos profesaban una honda pasión. Seguí caminando por esa misma calle. Pensaba que haberme salido de la casa había sido sin duda la mejor decisión. Empezaba a no caber entre esos cuatro muros. Además, no quería que Leticia mi hermana imaginara que estaba aprovechándome de la mensualidad que le daba a mi madre. Con esto se me quitaba otro peso de encima. Mi madre se mostró renuente al principio, pero al cabo de unos minutos se convenció de que era lo mejor. Así ya no me tendrás con mataderos de cabeza todas las noches. Saliste igual de trasnochado que Bulmaro. Mi madre seguía siendo una mujer entera, pese a las tantas muertes que llevaba encima. La muerte de mi padre, por ejemplo, fue en realidad un suplicio. Del día que le diagnosticaron cáncer de huesos al día que murió transcurrieron diez años. Poco a poco se fue desmoronando, aunque nunca lo acobardó la enfermedad. Los dolores los soportaba imperturbable en su equipal, sin abandonar las partidas vespertinas. Cuando el malestar era demasiado fuerte, se levantaba del equipal y caminaba alrededor de la mesa chirriando los dientes. Todos hacíamos como si nada estuviera pasando. Las fichas se removían de igual manera mientras la sombra de mi padre daba vueltas alrededor de la mesa. Al médico le causaba asombro tal entereza. No concebía el denuedo del hombre para afrontar el mal. Mi padre no se doblegó en ningún momento. El día de su agonía última en el hospital Núñez pidió que lo dejaran fumar y comer sopes de lomo con bastante chile. No importa que los eche fuera a la media hora, mi chula, manifestó a la enfermera. Mi padre arrojaba cuajos de sangre por nariz y boca. Murió ahogado en su propio vómito, sin siquiera haberse dado la oportunidad de proferir una mueca de dolor. No lo hizo nunca, ni aun en las circunstancias más inextricables, como aquella en que me pidió que lo acompañara a dejar una camionetada de cáscara de limón al rancho de los Ortiz. Los Ortiz eran dueños de grandes extensiones de tierra y ranchos en Pihuamo, un pueblo a cien kilómetros y pico del rancho de mi padre. Los Ortiz ofrecían cada año, durante las fiestas, una corrida de toros. Contrataban bandas de música, invitaban artistas famosos y llenaban hieleras y hieleras de cerveza para todo el pueblo, sin faltar los cazos de birria y las tortillas embadurnadas de frijoles puercos. Entre la gente del pueblo era fácil distinguir a un Ortiz. Un Ortiz sobresalía entre los demás. Un Ortiz conducía siempre la mejor camioneta, llevaba del brazo siempre a la mujer más guapa, usaba siempre los mejores botines y siempre estaba rodeado por una cuadrilla de paleros buscapleitos. Los Ortiz tenían casonas en el pueblo y el pueblo, para quien no lo supiera o no quisiera darse por enterado, era de los Ortiz. Pues esa mañana monté en la camioneta de mi padre, fuimos a la báscula y después de comernos unos tacos de tripa con el Molcate continuamos el rumbo hacia Pihuamo. Mi padre me iba diciendo que ya era hora de que supiera que tenía yo dos medios hermanos en Manzanillo, hijos que tuvo con una mujer que había sido su mujer desde antes que se robara a mi madre. Se llaman Bulmaro y Felipe, como tus hermanos, dijo mi padre sin mirarme. Entre tus hermanos y tus medios hermanos habrá algunos dos o tres años de diferencia. Mi padre hablaba de ellos como si estuviera en realidad hablando de mis hermanos Bulmaro y Felipe. Parecían una copia de la copia original. Un revoltijo de papeles sin nombre. Está bien, dije. Mi padre tenía ganas de hablar, aun cuando supiera que carecía de interlocutor. Ganas de hablar nomás como un ranchero habla a solas con su caballo. Estaba así chiquillo cuando la conocí. Mi padre hizo la seña con el dedo pero sin mirarme. Su padre era amigo de mi padre. Su casa estaba al lado de mi casa. Vivíamos en Las Golondrinas, cerca del ojo de agua, ¿me estás oyendo? Yo no respondía pero tampoco era necesario porque mi padre decía ta' güeno y seguía hablando. Fuimos juntos a la escuela, que estaba a unas cuadras de la casa, subiendo la cuesta. Su padre era dueño del Tamarindal. Trabajaba una temporada aquí y la otra en el otro lado. Armida tenía un hermano al que le decíamos el Negro Diosea. Todos decían en el pueblo que no era hijo de don Cristóbal, sino de un africano curandero que llegó al pueblo con un grupo de húngaros después de las aguas. El Negro Diosea tenía la misma máscara del africano curandero ese, quien, a decir de la gente, sacaba los demonios del cuerpo y limpiaba las almas. Usaba tambores y palapas quemadas para hacer sus rituales. Desde Loma de Juárez podían verse los humaderones saliendo de su casa los días de purgación. Entonces se me emperró el amor por Armida, continuó mi padre. Ni supe cómo la fui queriendo tanto. Era como traerla cosida a las carnes con hilo de cáñamo, ¿me estás oyendo? Pero las cosas se torcieron. Un día estando Paco mi hermano bebiendo en la fonda de la Güera Puerquera, el Negro Diosea le cayó a la mala y lo desgració sin darle tiempo a resollar. Dicen que ya se traían entre ceja y ceja por culpa de una mujer que Paco mi hermano le había quitado al Negro Diosea. Una mala mujer que trajo nomás la desgracia a la familia. La casa se llenó de un aguacerón de llanto. Paco mi hermano era el consentido de mi padre. El mayor y el consentido. Era un hombrazo de muchacho Paco mi hermano, ¿me estás oyendo? Tanto que mi madre ya no pudo vivir ahí con su recuerdo ensimismado. Le dijo a mi padre: si no te quieres ir, quédate, Francisco. Púdrete aquí en esta casa llena de recuerdos desportillados. Y entonces tuvimos que irnos del pueblo, aun contra el emperramiento de mi amor por Armida. Muchos años después nos desquitaríamos. Mi padre continuó hablando hasta que paramos en un claro del cerro. Habíamos cogido una vereda y otra, sin prestar atención en la orientación. En las cuestas más empinadas las llantas de la camioneta resbalaban. ¿Pos dónde chingaos estamos? Mi padre volteó hacia un lado y hacia otro, tratando de reconocer el camino. A dos pasos de nosotros se acababa la brecha y empezaba el voladero. La hierba estaba como recién llovida. A lo lejos se alcanzaba a divisar un cerro grande y atrás de él otro más grande. A ver ven, dijo mi padre. Descendimos de la camioneta y caminamos hacia el precipicio. Sólo se oían las chachalacas retumbonas en la copa de los árboles. Al abrirse el claro vimos ante nosotros un enorme sembradío de marihuana. Mira nomás dónde nos fuimos a meter. Mi padre repasó aquello que no parecía terminar. Su vista abarcaba cada confín. El plantío se extendía de una a otra orilla llano abajo. Lo salvaguardaban tres cerros ampones. No bien dimos la media vuelta, aparecieron frente a nosotros, como venidos de ultratumba, dos hombres de a caballo. Uno de los hombres nos apuntaba con un rifle, al otro se le alcanzaba a ver la pistola fajada en el pantalón. Quiubo, amigo. El hombre del rifle no parecía satisfecho con la situación. Tenía en el rostro una mueca agria. Mi padre se detuvo. Observó a los dos hombres fijamente, sin bajar un instante la mirada endurecida. Mi padre me jaló hacia atrás por el hombro, intentando cubrirme con el brazo. Ya nos íbamos, amigos. La voz de mi padre se escuchaba fragosa pero apacible. No me diga, dijo el hombre del rifle sin quitarnos el cañón de encima. ¿Y a dónde van con tanta prisa, pues? El hombre del rifle le hizo una seña al otro. Vamos adonde a usted no le importa, amigo, dijo mi padre con la sangre inalterable. El hombre amartilló el rifle y adelantó el cañón. Voy a quebrarme a este chiva, compadre. Cuando el hombre dijo eso, yo me escondí tras las ropas de mi padre, que continuaba en la misma postura, sin moverse. El cielo se arrumbaba de nubes y parecía que hasta las chachalacas habían enmudecido. Al hombre del rifle se le notaba que tenía ganas de jalar el gatillo. Una ansiedad se dejaba ver en sus manos de asesino a sueldo. En varias ocasiones miró al otro como esperando una señal justificatoria, un signo de aprobación. Parecía decir: déjame que lo mate a este hijo de la chingada, déjame que lo mate de una vez. Baja el arma, Celso, terció el otro de un momento a otro. Y luego, dirigiéndose a mi padre, acotó: ¿verdá que usted no es chiva, amigo? Mi padre dio dos pasos hacia delante y dijo: no, amigo, yo no soy chiva. Yo soy hombre. Qué no ve. ¿Ya ves, Celso? El hombre del rifle jaló la rienda del caballo y lo hizo andar sobre la vereda de enfrente, que subía al cerro. El otro se acercó con mi padre y le pidió que mejor volviéramos por donde habíamos venido. Mi padre dijo que estábamos perdidos. Andaba buscando el rancho de los Ortiz, amigo, y mire usted dónde me vine a meter. Discúlpeme las molestias. No se preocupe, amigo. Siga el camino hacia abajo y en el primer cruce que vea, doble a su izquierda. Ese camino lo saca hasta la mera puerta del rancho de los Ortiz. Nomás le encargo, ¿no? Mi padre hizo un silencio entrecortado para después decir: no se preocupe, amigo. Haga de cuenta que no estuve nunca aquí. El hombre le metió la espuela al caballo y siguió la misma vereda del hombre del rifle, que subía el cerro. Mi padre y yo montamos de nuevo la camioneta. Mi padre no hizo ningún comentario sobre el suceso, sólo se limitó a decirme que a ver si los Ortiz no le tiraban la carga en el hocico por andar llegando tarde. Mi padre hablaba como si en realidad nunca hubiéramos estado aquí.

Cuando abrí la puerta de la casa, lo primero que vi tirada en medio del corredor fue una bicicleta vieja, enmohecida, sin asiento. La casa contaba con dos habitaciones, un medio patio y un baño. Tenía el techo de lámina de asbesto y las paredes de adobe. Era una casa vieja, como su propietario. No me importaba. Colocaría mi cama en la primera habitación, ordenaría mis cancioneros en el librero junto a la puerta y colocaría el pequeño refrigerador en la esquina del fondo, al lado de la puerta de acceso a la segunda pieza. La casa olía a humedad, como si hubiera estado lloviendo desde hacía años. Del techo cayendo goterones, desbordándose el agua a través de los resquicios. El zacatal en el medio patio daba la impresión de ruindad. Subían las raíces de las plantas por la pared desvencijada. La pared era un peladero de tierra y yo, al mirarla, recordaba los desiertos de Monterrey. Especialmente el desierto donde estaba enclavada aquella casa a la que Hortensia y yo fuimos a recoger una cama. La cama y la bicicleta que estaba viendo (la del recuerdo, la de la realidad) guardaban más de un par de cosas en común. A veces, pensaba, a las vidas las unen objetos enmohecidos, destartalados. Las unen bicicletas que no van a ninguna parte y camas en las que no es posible conciliar el sueño. Cerré la puerta tras de mí y fui a los portales a comprar el *Excélsior*. Del otro lado de la acera del jardín donde leía veo que se estaciona el Chino, un ex compañero de secundaria. Al descender del Malibú rojo, me ve y viene hacia mí. Qué pasa, Abel. El Chino cruza la calle corriendo y brinca la cerca de arbustos. ¿Qué vas a hacer, carnal? Cerré el periódico y lo coloqué sobre la banca. No mucho, mano, contesté. El Chino me invitó a la feria y acepté, movido más bien por la inercia. En el Malibú rojo llevaba una botella de Remy Martin que acompañaba con jugo de naranja. Así soy de fakiu, mi Corona. Arrancó derrapando llanta. El Chino había cambiado. Ahora que recordaba, habíamos sido compañeros desde la primaria. Compañeros intermitentes, por supuesto, porque yo estuve en muchas escuelas. Pero fue en la Libro de Texto Gratuito donde creo haberlo conocido. Debe andar una foto por ahí en donde aparecemos los dos vestidos de puerquitos, el traje azul marino con un moño rojo en el antepecho. El Chino no estaba disfrazado de puerquito. Ahora que recuerdo llevaba un overol. Un overol azul marino. En la foto aparecemos los dos mirando a la cámara. El Chino creo que me ha puesto una mano sobre el hombro. Su mirada que mira a la cámara es inocente. El Chino tenía una mirada inocente. Ahora no me lo parece. ¿Todavía traes aquella nalguita? El Chino me pregunta mientras extrae de la guantera una bolsita con cocaína. Se arrima la bolsita a la nariz y da una jalada. Llégale, mi Corona, dice sin dejar de acelerar. Cojo la bolsita y hago como él: meto la nariz y doy una jalada fuerte. Siento la picazón en el tubo nasal. ¿Cuál nalguita, güey? La morena culona aquella. ¿Hortensia? Esa mera. ¿Todavía la traes? Ni madres. Ese arroz ya se coció. No me digas. Sí. Tan buena que estaba la méndiga. Buena no: buenísima. Repentinamente, me doy cuenta que soy otro. Que respondo y actúo como si fuera otro. Ahora soy como el

Chino. En la banca del jardín, donde dejé olvidado el periódico, también olvidé al otro que era para ser este que ahora soy. Soy el Chino sin dejar de ser yo. Me ha pasado otras veces. Como alguien lo dijo alguna vez, padezco un patológico instinto de imitación. Soy un hombrecito al que le pegan de palos adentro, pero que afuera pega de palos impasiblemente. El Chino detiene el Malibú rojo en una calle oscura de Placetas Estadio, extrae dos grapas de coca y baja del auto. En la puerta cancel de la casa de junto, cambia el producto por dinero. La mujer lo despide con un beso en la boca. Cuando regresa de hacer la entrega, no puedo evitar sentir un poco de nervios. Puede ser riesgoso que nos detenga la policía estando yo trabajando en la Procuraduría. Podría ser un escándalo. Pagaría un justo por un pecador. Pero así ha sido siempre. El Chino hace la misma operación cinco cuadras adelante y la repite en la colonia La Albarrada, donde hace tres entregas más. La empresa es fuerte, dice. Las palabras me suenan familiares. ¿Vamos a ir a la feria o no? Para allá vamos, carnal, no te me desesperes. El Chino da vueltas de bandido. Hace derrapar las llantas. Conduce a exceso de velocidad. No respeta semáforos ni bocacalles. Le ha dado otro jalón al polvo. Es un chico cheverón y bien fakiu. Se ha terminado un perico y ha abierto otro. Lo absorbe como absorber pulpa de coco tierno. Al llegar al estacionamiento de la feria, el guardia le informa que no hay sitio ¿Y esos lugares que están ahí? El Chino señala con el dedo tres cajones vacíos. Están reservados. ¿Para quién o qué? Están reservados. El hombre parece molesto. El Chino saca unos billetes y dice con firmeza: toma y abre la puerta. Allá te enseño mi C de Cam-pe-ón. El guardia coge el dinero, que esconde rápidamente entre la chamarra, y abre el portón.

¿No me digas que es coco el cabrón?, pregunto mientras entramos al estacionamiento. Éste no es coco, mi Corona, este cabrón es coquísimo. Al bajar del auto, el Chino desliza en la bolsa del pantalón del guardia un perico. Le encargo mi Ferrari, mi veladuermes, dice. Cómo no, joven. Vamos por una de las callejas bebiendo Remy Martin con jugo de naranja. El Chino lleva la camisa abierta en el pecho. Me doy cuenta que me gustan las callejas de la feria. La gente vendiendo ollas, vasijas, sombreros, equipales, tacos, lentes, camisas. Vidas ajenas, desconocidas, viviendo a nuestras espaldas, inadvertidamente. Manos que nacen un día y se apagan al siguiente, como las ferias o los circos. Eso que no se ve es lo que quisiera ver. Eso que no se ve es lo que quisiera ser. Al llegar a una calleja junto al Teatro del Pueblo, el Chino y yo nos cruzamos con dos mujeres maduras. Vienen dando tumbos de borrachas. Una alta, fodonga, y la otra chaparra, pelo rubio. Al cruzarnos, la mujer fodonga, alta y gorda le guiña el ojo al Chino, quien da la media vuelta y la sigue. Todo sucede en milésimas de segundo. Una puerta que se abre y se cierra. Cuando volteo, el Chino me está tirando voces. La mujer fodonga, alta y gorda lo tiene cogido del brazo. Está riéndose con una risa de niña. Se le dibuja un hoyito en la mejilla. Me encamino hacia ellos. El Chino me dice que va a haber show. Consiento. La mujer chaparra de pelo rubio habla poco. Más bien no ha abierto la boca. Intento persuadirla pero escarea. La mujer fodonga, alta y gorda va tirando mundo. Está riéndose todo el tiempo. Tiene cara de sonrisa. Subimos a una camioneta amarilla, modelo antiguo. Es de la mujer fodonga, alta y gorda. El Chino se sienta a su lado. En el otro extremo la mujer de pelo rubio y yo. Salimos del estacionamiento con la promesa de volver por el Ferrari del Chino. Yo los traigo, papitos, dice la mujer fodonga, alta y gorda con la cara de sonrisa. Lo dice riéndose. Está borracha. Borrachísima. Maneja instintivamente, saliéndose casi de la carretera. Es la esposa de Chon el Verdulero. Una mujer que tiene hijos de nuestra edad. El Chino me va informando mientras nos dirigimos al motel La Haciendita. Tiene una hija buenísima. Chon el Verdulero es dueño de una verdulería. Por eso le dicen Chon el Verdulero. Lo conoce todo el mundo. Organiza exposiciones de autos antiguos junto con Paco Zaragoza. La mujer de pelo rubio dice a la mujer fodonga, alta y gorda que no tiene quién le cuide a la niña y que mejor la lleve a su casa. La mujer con cara de sonrisa le dice que no sea pendeja, que ahorita después de que se las cojan estos muchachos lindos la lleva a donde quiera y que no esté chingando. La mujer de pelo rubio insiste. Llévame, Cande, que la muchacha se va a las ocho. Pero la mujer con cara de sonrisa le dice que ser pendeja una vez está bien pero que ser pendeja dos veces es una pendejada muy grande, así que mejor no estés chingado. El Chino intenta explicarle a la mujer chaparra de pelo rubio que no nos vamos a tardar, pero se nota que la mujer ha empezado a entrar en una crisis de esquizofrenia porque insiste en que la llevemos a su casa. La mujer fodonga, alta y gorda le dice que está bien, ahorita él (dice señalándome a mí) te lleva a tu casa, nomás que nos dejen a nosotros (dice señalando al Chino). A las afueras del motel La Haciendita, ubicado a unos cinco kilómetros de donde mataron a Ismael mi hermano, la mujer con cara de sonrisa me entregó la llave de la camioneta y me pidió que llevara a su amiga. Te vamos a esperar aquí, dijo señalando un tejabancito. No tardes, mi Corona. La mujer chaparra de pelo rubio subió a la camioneta. Cuando me dijo que vivía en las Siete Esquinas, sentí un despotricón en el estómago. Las Siete Esquinas estaba casi en el centro de la ciudad. ¿No nos verá el marido de tu amiga? Con suerte, no, dijo. Entré a la ciudad y en el primer libramiento agarré una calle empedrada que daba hasta la avenida San Fernando. Continué por una calle poco transitada hasta salir a la rotonda de Juárez. Sentía que en cualquier momento se me cruzaría intempestivamente la camioneta de Chon el Verdulero, y que Chon el Verdulero sacaría por la ventana una pistola y me daría unos balazos sin darme tiempo a darle cualquier explicación. La noche, sin embargo, me ayudaba. La mujer chaparra de pelo rubio dijo ahí adelante en la azul está bien y yo me figuré que lo había conseguido. Detuve la camioneta junto a su casa. Alguien asomó por la ventana de la casa de enfrente. Nos estuvo espiando. La cortina se abría y se cerraba. Se me figuró ver a lo lejos, cruzando de una calle a otra, un Maverick negro. El mismo Maverick negro de siempre. En sueños lo veía cruzar de una calle a otra también, rápidamente. Fugaz. El conductor era el mismo: lentes negros, bigotes, firme la espalda en el asiento. Nuestras miradas se cruzaban. La mujer chaparra de pelo rubio me dio un beso en la boca y me dijo que, si quería, volviera mañana a las ocho de la noche, para que viera que no había sido una gachada suya. Es por mi hija, de verdad. La mujer chaparra de pelo rubio se justificó. Pidió disculpas anticipadas. Quiso decir: coger me súper importa, la verdad, pero me súper importa más mi hija. Pero no lo dijo. Sólo se le vio en la mirada. La mujer chaparra de pelo rubio no era una pendeja, por eso le dije que volvería al siguiente día. A las ocho. Volví al motel, entre calles y callejas poco transitadas otra vez. El Chino y la mujer fodonga, alta y gorda estaban sentados en el suelo, debajo del tejabán. Se besaban. La mujer con cara de sonrisa se alegró al verme. No parecía estar en este mundo. Ni tampoco importarle mucho. La mujer gorda se reía. Entró a la habitación riéndose. El Chino me dijo que yo le quemaría el primer garrotazo. Ándele, mi Corona. La mujer con cara de sonrisa nos oía planear. Está echada en la cama como una vaca. Gorda. Fodonga. Con las tetas grandes. Invadidas las nalgas de celulitis. Está esperando. El Chino se sienta en la banquita y se mete otro jalón de coca. Se sienta a ver. Yo me deshago de la camisa y del pantalón, quedo en cueros y me monto en la mujer fodonga, alta y gorda que no para de reírse. Que sepa lo que es amar, mi Corona. El Chino enciende un cigarrillo. Empieza a fumárselo haciendo cabriolas en el aire. Pide traer una botella de ron Bacardí. Dos Coca-colas y un agua mineral. Habitación 23. Escupe sobre la alfombra. A la mujer fodonga, alta y gorda pareciera que le están haciendo manicure. Sigue riéndose con la vista en el techo. Sólo le falta bostezar. Es una vaca arrellanada. Sin poder evitarlo, hago aparecer la sombra de un hombre detrás de la ventana. Imagino que es Chon el Verdulero. Ha dado con nosotros después de una búsqueda frenética. La sombra aparece y desaparece. Imagino que está buscando la forma de entrar sorpresivamente. Tal vez por la ventana del cuarto de baño. Lleva un cuchillo carnicero. Piensa armar una carnicería con nosotros. La sombra aparece y desaparece. Se mueve rápidamente de un ángulo de la ventana al otro. Es Chon el Verdulero enfurecido. No puede tolerar que dentro de la habitación esté la mujer fodonga, alta y gorda, su mujer, riéndose con otro. Lo enerva que su mujer con cara de sonrisa le sonría a otro hombre. Su sonrisa es para él nada más y no tiene por qué compartirla con otro imbécil. La sonrisa de la fodonga es lo único que le pertenece. El hombre se avergüenza de sí mismo. Coge con quien te dé tu chingada gana, perra gorda, pero no le sonrías a otro, mi amorito. Conserva esa sonrisa para mí. La sombra aparece y desaparece como una luz intermitente. Me levanto de la cama aturdido y le cedo al Chino mi lugar. El Chino me extiende la bolsita de coca y va con la mujer fodonga. Le pide levantarse. Venga para que la bañe. El Chino conduce al baño a la gorda con cara de sonrisa. No deja de reírse. Camina alelada, como si su cabeza fuera una burbuja resbaladiza, una pezuña torpe o una pelota de cebo. Resbala su risa. Entran al baño. Dentro, se oye el rechinido de la puerta corrediza. Luego el agua. Enciendo un cigarrillo y me meto un poco más de coca. Me arden las narices. Levanto un poco los pies para relajarme. Busco persuadirme. La imagen del Chino bañado en sangre, acuchillado dentro de la bañera, se me aparece otra vez en la forma de un cristalazo. Es un hueso despostillado. Una pierna rota. Mi mano derecha disuade a la izquierda. No quiero pensar lo que estoy pensando. El hombrecito que me habita dentro se apabulla mientras el hombrecito de afuera fuma un cigarrillo tranquilamente. No da señales de padecer aturdimientos. Puede su risa resbalar como la risa de la gorda fodonga, alta y gorda. En ese instante escucho un grito proveniente de la bañera. Un grito que se escucha de horror. Un ay prolongado. Otro ay más fuerte. La idea de la sombra del hombre, el presentimiento, me pasa velozmente por el cuerpo. Ha entrado y está masacrando al Chino y a su mujer. Es Chon el Verdulero. Oigo que viene de lejos otro grito. Se replega en las paredes. Me levanto y camino. Siento la lengua entumida. Quiero hablar pero no puedo. Entumida. Abro la puerta del baño y escucho la risa de la mujer fodonga, alta y gorda. ¿Te pasa algo, Chino? El hombrecito de afuera habla como si el hombrecito de adentro estuviera de lo más tranquilo. Te hablo. ¿Te pasa algo? Un puto calambre, mi Corona. Y esta pendeja gorda riéndose. Ayayai. Salgo del cuarto de baño y me recuesto en la banca. Miro en el techo círculos y ondas de colores. Luego de unos minutos, aparece otra vez la mujer fodonga, alta y gorda envuelta en una toalla. Sale riéndose. Su cara de sonrisa que lleva a todas partes. Va al cine con ella. Viene del mercado con ella. El Chino sigue con la verga parada. Apunta como si trajera una escopeta y quisiera matar. La gorda se echa en la cama, dándonos la espalda. Cierra los ojos. El Chino se enfunda pantalón y camisa. Coge la bolsa de la gorda y saca las llaves de la camioneta. Le saca también el dinero de la cartera. ¿La vamos a dejar aquí, Chino? Sí, responde el Chino. ¿Cómo? Cómete lo que quieras. Pobrecita. El Chino se pone un cenicero en la cabeza y dice: esta es la corona del triunfo, mi Corona. Salimos de la habitación sin apagar la luz.

Al siguiente día me levanto estragado. Escupo amarillo. La boca me sabe a medicina. Entro en la regadera y dejo que el agua me caiga por la espalda, la siento escurrir entre las nalgas. Al salir del baño, la bicicleta continúa recostada en el corredor. Me aproximo a ella como se aproxima uno a un animal muerto y la observo detenidamente. La pongo en pie y la recargo en la pared del baño. Pienso que sería bueno comprarle un asiento y hacerla funcionar. Podría ir y venir en ella al trabajo, aunque ahora salir a la calle en una bicicleta sea tirarse al mar sin saber nadar. Llegué a la oficina poco después de las nueve de la mañana. Adela me dijo que aquel hombre que estaba sentado en la banca tenía esperándome más de una hora. El procurador me había hecho titular de la mesa mientras nombraban al agente suplente, lo que podía ocurrir de un día para otro, en una semana o nunca, porque aquí así son las cosas. Yo había asumido la responsabilidad con la mayor seriedad. Entre Adela, una becaria que enviaron de la universidad y yo podíamos sacar el rezago que había quedado pendiente. La becaria declaraba testigos, Adela levantaba fe ministeriales y declaraciones de los presuntos responsables, y yo redactaba las resoluciones que luego pasaba al licenciado Víctor Mendieta para firma, porque yo no estaba legalmente autorizado para ello. Recuerdo que esa mañana cierro la puerta con llave y me apoltrono en el sillón de Ismael mi hermano. En el sillón donde no hacía mucho él mismo se sentaba a hacer lo que yo ahora haría. Me siento y es como entrar en su cuerpo, como ocupar su lugar. Afuera se oye el ruido de las máquinas de escribir. Las voces de la gente exigiendo algo. Pidiendo esto o aquello. Gente en realidad miserable. Un montón de huesos sobre los cuales caen las risotadas del gobierno. Ni esperar que un rico venga a sentarse frente a una de estas máquinas Olivetti y de frente a un mediocre empleado de gobierno que gana diez mil veces menos que el señor rico. Los señores ricos no necesitan el amparo de la justicia ni la protección del gobierno porque ellos son la justicia que ampara y el gobierno que protege. Ellos son los dueños de ese montón de huesos que hay allá afuera pidiendo siempre algo. Gente acostumbrada a esperar largas horas en la banca. Gente a la que se le dice siéntese ahí y se sienta. Párese ahí y se para. Cállese y se calla. Hable más fuerte y habla más fuerte. Venga otro día y viene otro día. Lárguese y se larga. Casi sin darme cuenta, abro el cajón derecho del escritorio y saco un manojo de llaves atadas por un alambre. Las reviso una por una, intentando adivinar la puerta o el cajón que abren. Las llaves debieron pertenecer a Ismael mi hermano porque hay una que parece ser copia de la llave de su automóvil. Encuentro otra muy similar a las que abren los cajones de los archiveros. La extraigo del alambre y reviso uno y otro archivero, que están sin el seguro puesto. Bajo la vista y la detengo en el cajón izquierdo del escritorio. Parece estar cerrado. Meto la llave y bota la cerradura. En el cajón hay papeles, una navaja suiza, un carrete de hilo de pita, papel higiénico, plumas de varios colores, dos cintas métricas, formatos de actas ministeriales y una bolsa rubricada con una leyenda. En la leyenda se lee: "personal". Abro la bolsa y reviso los papeles. Son pequeños mensajes escritos con una letra casi ininteligible. Los voy colocando sobre el escritorio. No están fechados, pero leyéndolos con detenimiento podría deducirse su orden. Están dirigidos a mi extinto tío Sebastián, primo hermano de mi madre, quien se suicidara pegándose un tiro en la cabeza. El primer mensaje dice: "Don Sebastián: lo vamos a matar por todo el mal que nos a echo. Guerrilla Negra". El segundo mensaje va un poco más allá e igual parece estar escrito apresuradamente: "Don Sebastián: conosemos todos sus mobimientos. Le pedimos que colavore con nuestra cauza. No se le ocurra dar parte a la policía. Sus ijas pueden estar peligrando. Cuídelas. Guerrilla Negra". Debajo de estos mensajes, encuentro una fotografía donde aparece Ismael mi hermano vestido de camisa azul y pantalón de mezclilla. Es una fotografía reciente. La foto parece haber sido deturpada. Se alcanza a ver una mano que rodea su hombro. Mi hermano no ve a la cámara. Su mirada se dirige hacia la persona que no alcanza a salir en la foto. En el dorso de la fotografía puede leerse: yo y Torito. No tengo idea quién pueda ser Torito, aunque el color de la piel pudiera coincidir con el de su victimario. Saco otro papel doblado y lo abro. En su margen izquierdo tiene una lista de enseres domésticos y en la parte de en medio está dibujado a escala el diseño de la casita que mi hermano pensaba construir en su rancho. En el margen derecho había un número telefónico: 2-49-96. Seguí hurgando el cajón en busca de más indicios, pero Adela tocó a mi puerta trayéndome una pila de expedientes que debía firmar antecediendo la marca: P. A., que quiere decir: Por Ausencia. Adela dejó los expedientes sobre el escritorio y me dijo que así sentado en el escritorio tenía toda la pinta de procurador general de la República. Mientras esto me decía, aproveché para cerrar otra vez el cajón y guardarme la llave sin que se diera cuenta. Te ves bien sabrosa hoy, Adela. Qué bueno que te guste, monigote. Era la primera vez que Adela me decía monigote. Debo confesar, sin embargo, que no me desagradó.

La mañana del 20 de abril, Abel Corona no se presentaría a trabajar. Lo habrían estado esperando para que ayudara en las faenas diarias, pero no llegaría. La ruta que habría elegido esta vez sería muy distinta al resto de los días. Por eso, a las nueve en punto, el Chori iría donde Lucio buscando alguna razón del paradero de Abel. Se rascaría la cabeza al preguntar: ¿te dijo algo? No, contestaría Lucio. Abel era puntual como un reloj inglés, por lo que su ausencia adquiría una inusual extrañeza. Pues asegúrate de que le descuenten el día como me lo descuentan a mí, Lucio. Ni un peso más partido por la mitad, eh. El Chori hablaría en realidad sin sentir lo que estaría diciendo. Hablaría sin maldad. De haber podido, se habría soltado llorando como una niña caguengue. El Chori pasaría mal la ausencia de Abel. Uña y carne, calzón y caca. Es verdad que Abel era un muchacho de carácter difícil y personalidad escurridiza, pero a cambio de eso entregaba generosidad y, en sus cabales, abría puentes colgantes o atajos reales para sus amigos. El Chori pensaría que Abel no merecía este trabajo. Tal vez por eso lo largó. Y bien que hizo. Sentado en el tronco del mosaico, rayando surcos en la tierra con un palito, el Chori pensaba. Sopesaría en oro la inteligencia de Abel. Apenas lo había empezado a querer como un hermano, diría para sí con el presentimiento de no volver a verlo. De vez en cuando miraría en dirección al portón, la puerta de la carnicería, con la esperanza de reencontrarlo. Pero en lugar de eso, lo que aparecería ahí sería gente yendo a su trabajo. Niños con las mochilas en la espalda. Bicicletas. Camiones repartidores de refresco. La costumbre de fumar un canuto de marihuana después de preparar los chicharrones, pasando lista a las hijas de don Pedro y a la cajera de mirada perdida, fija en la polvosidad de la calle, habría llegado a un callejón sin salida. El pinche güero es medio marciano, ¿no?, diría apretando un cigarrillo entre los labios. ¿Medio?, reviraría Lucio. Nadie imaginaría que esa mañana del 20 de abril, Abel Corona no se presentaría a trabajar.

Abel se levantó de la cama sin hacer ruido. Como dormía en una orilla, junto a la puerta, no batalló en zafarse de los brazos de Hortensia, quien tenía el sueño pesado y podía dormir incluso sobre cristales rotos. Salió de la casa en puntas de pie y cogió un taxi en la esquina. Pidió al chofer que lo llevara a la estación de autobuses, en realidad una pequeña bodega cuya oficina la conformaba una silla con un radio encima. Mucho tiempo después, al regresar Abel a Sabinas Hidalgo, presenciaría la transformación de la estación de autobuses en una terminal hecha y derecha, con señoritas vestidas de blusa blanca y falda azul marino, educadas y atentas con los pasajeros. Pero ahora no. Ahora la estación de autobuses no tenía siquiera bancas para sentarse. Era un galerón frío igual a un cubo de hielo o una nalga de muerto. Faltaban quince minutos para que saliera el autobús a Monterrey y Abel decidió hablar por teléfono a su casa. Diría a su madre que no se preocupara. Que estaba vivo y ya volvería algún día. No diría que alguien lo estaba buscando para matarlo. Levantó el auricular en la caseta telefónica y marcó. El teléfono dio tres timbrazos. Del otro lado de la bocina se oyó la voz de su hermano Ismael. Abel colgó. Le sorprendió encontrarlo en casa de su madre a esas horas. Esperó un par de minutos y volvió a marcar. Ismael cogió de nuevo la llamada. Abel permaneció en silencio. Entonces escuchó la voz: contesta, Abel. Abel no abría la boca. Estaba congelado. Los números del teléfono brincaban de un sitio a otro, el tres brincaba al lugar del ocho, el ocho al del cuatro, el cuatro al del siete. Y así. Tienes preocupada a mi madre, Abel. Ya ni la jodes. Abel seguía sin abrir la boca, viendo los números saltar de un sitio a otro. Todo estará bien acá, hermano. Vente y prometo que consigo algo para ti en la Procuraduría. Abel por fin abrió la boca sólo para decir: dile a mi madre que estoy bien. Nos vemos luego. ¡Abel…! Abel no se decidía a colgar el auricular. Mi mamá quiere escucharte. Vuelve, te digo. Abel vio, como en una ráfaga de luz, el Maverick negro cruzando la esquina. El Maverick negro encendió las luces de frenado y se detuvo un instante al dar vuelta. Abel pensó que lo habían seguido y el hombre lo estaba buscando, como aquella vez en el cine. Dile nomás que estoy bien. Adiós. Ismael se quedó con las palabras en la boca. Luego colgó y dijo a doña Leonor que había perdido la comunicación. ¿Qué te han dicho en Teléfonos?, preguntó doña Leonor de la Flor fingiendo no estar preocupada. Hace unos días envié un oficio desde la Procuraduría, pero me dijeron que era difícil ubicar una llamada hecha desde teléfono público, explicó Ismael. Pero voy a averiguarlo, no te preocupes. Aunque era una mujer fuerte, a doña Leonor se le rasaron los ojos. Abel estuvo aguzando la vista para ver si veía aparecer en la puerta al conductor del Maverick negro. Imaginó algunas posibilidades. Lo enfrentaría, de ser posible. Levantó del suelo una piedra y la introdujo en la bolsa derecha del pantalón. Se sentó de nuevo en la banca. Luego metió la otra mano en la bolsa izquierda y tocó con los dedos unas monedas. Las jugueteó un instante mientras presenciaba el arribo de futuros pasajeros. Ojalá alguna de esas mujeres sea mi compañera de asiento, pensó. Pocos minutos después abordaría el autobús con destino a Monterrey, primero, y a Tepic, después. El autobús estuvo con el motor encendido alrededor de diez minutos. Abel estaba montado. Sentado en el asiento número 16. Encontró al lado de su asiento, olvidado, un libro de poemas de León Felipe. Lo cogió y lo colocó sobre sus piernas. Echó hacia atrás el asiento y estiró los pies. Le había correspondido ventanilla, aunque en realidad hubiera preferido pasillo. Solía sucederle. Cuando Abel deseaba ventanilla, le tocaba pasillo. O viceversa. Igual que cuando necesitas urgente un taxi y no hay taxis en el mundo en el instante preciso que lo necesitas. O viceversa. Abel abrió en cualquier parte el libro de poemas de León Felipe y leyó: "que no hagan callo las cosas ni en el alma ni en el cuerpo, / pasar por todo una vez, una vez sólo y ligero, / ligero, siempre ligero". Abel repitió en voz alta los versos que acababa de leer. ¿Jueguitos a mí?, pensó. Cerró el libro y lo aventó al suelo. Hubiera deseado arrojarlo por la ventanilla. O quemarlo. O darle un duro sopapo al poeta, por maricón y lengua suelta. *Ligero, siempre ligero.* El autobús inicia su marcha, por fin. Va casi vacío. Cuando sale a la carretera,

Abel decide no voltear hacia atrás. Descubre, al paso, el billar donde jugaba con el Chori. Recuerda, de golpe, la imagen de la cerveza Tecate sobre la barra. Mira a través de la ventana, sin volver la vista, sólo mirando las imágenes perdidas un instante después, y piensa en lo relativo que son las cosas. En Colima nadie acompañaría un juego de billar con una cerveza Tecate. En Colima se bebe cerveza Corona. La Corona es la diosa del olimpo colimense. Un día sin cerveza Corona podría ser catastrófico. La cerveza Corona es un bastión para los desvalidos. Un vaso de agua para el sediento. Un trozo de pan para los que están muriendo de hambre. En Sabinas, en cambio, sucede lo contrario. En Sabinas Hidalgo se bebe cerveza Tecate. Se juega billar bebiendo cerveza Tecate. Y nadie se muere por una cerveza Corona. Ni siquiera la conocen. Abel así lo hacía en sus partidas con el Chori. Bebían ambos cerveza Tecate. Con limón y sal. Al principio no le hacía mucha gracia, pero como en todas las abarroteras, vinaterías y supermercados la cerveza Tecate era anunciada con pompa y platillo, Abel comenzó a encontrarle el regusto. La cerveza Tecate es la mejor del mundo, diría algunos días después. Maldita máquina. Abel va dándole vueltas a la cabeza, dentro de la cual (entre otras cosas) hay un mapa por el que puede ver la azotea de la casa de Hortensia. No puede verla a ella, por fortuna. Le sentaría muy mal si la viera. O tal vez no. Pero al menos puede imaginarla arrastrando las chancletas en el corredor. Lavando los trastos. Leyendo una de esas revistas de farándula cuya nota más importante anuncia que la abuelita de Michael Jackson, después de varias intentonas, se operó por fin las tetas. O viniendo del mercadillo cargando una bolsa con dos tomates y una cebolla. Un trozo de carne. Abel cierra los ojos súbitamente y se queda dormido. El aire que entra por la ventila superior cae sobre su rostro, revoloteándole el pelo. Babea y sueña. Va soñando que un Maverick negro se estaciona afuera del supermercado y que de él descienden un hombre de lentes negros y un hombre al que el hombre de lentes negros llama Cara de Sapo, aunque en realidad la tenga de puerco. Los dos hombres visten de negro. Un traje negro con una corbata negra. Entran al supermercado, los hombres de negro, y preguntan a la cajera por Abel Corona. La cajera no responde. Sigue con la mirada fija en la calle polvosa. Los hombres escuchan la respuesta de la mujer (*está en el mosaico, allá al fondo*) y dan las gracias. Está lloviendo. El Chori tiene el rostro de Rodolfo, aunque usa las botas de plástico y lleva el bigotito del Chori. Los hombres de negro, uno de ellos con cara de puerco, aunque el hombre de lentes negros lo llame Cara de Sapo, pregunta quién es Abel Corona. El Chori con rostro de Rodolfo lo señala con el dedo pulgar. Lo mueve haciendo así. Los hombres sacan una pistola y comienzan a disparar en el cuerpo de Abel, quien en realidad se da cuenta de que no es Abel sino Hortensia. Hortensia pierde la vida y con ella al hijo que lleva en su vientre. Todas las paredes de la habitación están empapadas de lluvia que no es lluvia sino sangre. Sigue lloviendo sin parar. La habitación empieza a llenarse de sangre. Va subiendo por los niveles de las paredes. Los hombres de negro se marchan pero a las dos horas vuelven al supermercado. Desciende un hombre de lentes negros y un hombre al que el hombre de lentes negros llama Cara de Sapo, aunque en realidad la tenga de puerco. Los dos hombres visten traje negro con corbata negra. Entran al supermercado, los hombres de negro, y preguntan a la cajera por Abel Corona. La cajera no responde. Sigue con la mirada fija en la calle polvosa. Los hombres de negro esta vez no lo soportan y le dan un revés a la cajera en el hocico. La cajera se abisma en un calabozo lleno de intestinos y lodo. La mujer es un lodazal. Los hombres de negro empiezan a volar sobre la mujer como zopilotes hambrientos. Chori salta por la barda del mosaico, dejando tirado en el suelo el rostro de Rodolfo, al que Abel no deja de patear como si fuera una pelota.

Un rayo de sol despierta a Abel repentinamente. Un rayo que cae sobre su ojo izquierdo. No se ha dado cuenta del tiempo. Ni siquiera le pregunten cómo pasa. Del autobús comienzan a descender los pasajeros. Abel los mira salir con los ojos adormilados. Es el último en descender. Entra al edificio de la Terminal y se encamina al escritorio de Ómnibus de México. Pregunta por salidas próximas mientras hurga en la bolsa del pantalón en busca de alguna información que cree haber guardado ahí. ¿Me puede decir a dónde viaja? La boletera muestra disgusto, aun sin razones. Voy a Guadalajara. No hay salidas hasta mañana. La mujer hace una voz fingida, pedorrera. No mira a los ojos. Masca chicle y cuenta algo con desgana. Tiene una baraja desordenada a un lado del reloj checador. Pareciera que momentos antes estuvo jugando. Abel vuelve a preguntar. Ahora ha dejado de hurgarse la bolsa y ha puesto los codos sobre el mostrador. La boletera sigue en lo suyo, sin siquiera levantar la vista, como si el lugar del interlocutor fuera ocupado por el hombre invisible. Abel Corona hace un gesto amable pero no puede evitar sentir, de pronto, muy dentro de sí mismo, unas ganas irrefrenables de coger a la mujer de las greñas y arrastrarla por todo lo largo y lo ancho del corredor. Quiere decirle que es una puta perra, ¿sabes? Una puta perra cogida por perros con la verga gorda como un palo de beisbol. ¿Sabes que eres una puta perra, puta perra? Abel quisiera que supiera, en un instante, y que todo el mundo se enterara, desde pobladores suizos hasta pobladores chinos, todo el odio que siente por esas boleteras de mierda que pasan las horas de trabajo pintándose las uñas o hablando por teléfono con la vecina de al lado, y que se molestan si las interrumpes preguntándoles si hay salidas hacia alguna parte o si su hermana o su puta madre es una perra cogida por perros como ella. ¡Este es tu trabajo, perra! ¿Lo entiendes? Este es tu purulento trabajo. Abel estaría irreprimible. Nadie lo podría convencer de que no se puede ir por la vida cantando Dos de pecho. Pero, aun así, continuaría: de este trabajo tragas la mierda de comida que te comes. Gracias a este trabajo puedes comprarte pinturas para pintarte el hocico de perra que tienes, ¿qué te parece, eh, perra podrida? Abel sigue con el gesto amable en la mirada pero en realidad, dentro de sí, no le sobran ganas de aplastarle a la boletera la cara contra el piso y destrozarle el tabique de la nariz, desgranarle los dientes como a un elote con un mazo. Romperle las encías. Patearle las costillas y escupirle en la cara, diciéndole ¿sabes que te pagan para que me digas cuáles son las próximas salidas, puerca?, ¿sabes que naciste para ser una puerca boletera y no la emperatriz Carlota, cerda?, ¿sabes que yo soy Supermán y tengo los huevos de King-Kong, pendeja? Abel se queda un instante en silencio, pensando, y luego pide educadamente a la mujer que si no hay más remedio le venda un boleto a Tepic. La mujer corta el boleto y se lo extiende, sin levantar la mirada. Le agradezco mucho, dice Abel Corona. Se guarda el ticket en el bolsillo y mira el reloj. Son las doce del día. Decide ir al puestecillo de la esquina. Compra tres tacos de papa y una

Coca-cola, que bebe viendo el puente que atraviesa la ciudad. Ingiere los tacos vorazmente. Ve gente que va y que viene. Mujeres que esperan la parada del microbús en la esquina. Abel se detiene particularmente en una muchacha de cintura delgada y caderas anchas que lleva un pantalón de mezclilla entallado y un cinto ancho. El pelo largo lacio de la mujer, sus carnes duras, lo sacuden como un ramalazo. Al bajar la vista para morder el taco, mira escapar por la esquina un Maverick negro. Alcanza a ver por la espalda, a lo lejos, al conductor. Lleva bigote y lentes negros. Abel paga y se va a toda prisa, dejando el plato sobre el carretón, con tres tacos intactos. Entra en la Terminal y se sienta en la sala de espera, en una esquina junto al baño. Está esperando que una de esas muchachas con sus mochilas en la espalda venga a sentarse junto a él. Las mira venir de otro mundo. Llegadas de Marte o de Júpiter. Son ángeles surgidos de la planta de sus pies. Ángeles salvadores. Ángeles de la Independencia. Saca el ticket de la bolsa y verifica el andén de salida. Se levanta y se dirige a la puerta de abordaje, pero titubea un instante entre quedarse en Monterrey o huir. Ve dos puertas enormes. No sabe en cuál entrar. Vuelve a salir a la calle y mira hacia un lado y hacia otro. Ha olvidado de pronto que un sospechoso lo seguía, probablemente. Está parado en un borde de la acera. Los camiones pasan haciendo un ruido ensordecedor. Echan un humo de pan carbonizado. Abel coloca un pie delante, sobre la acera de la calle, pero lo retira de inmediato. La avenida es ancha y ajena, como el mundo. Vuelve los pasos y empieza a correr hacia la Terminal. Llega al andén justo cuando el autobús está echándose de reversa. Voltea todavía en dos ocasiones más. Apúrele, joven. Podría volver a Sabinas Hidalgo. Reiniciar sus labores en el supermercado. Le digo que le apure, joven. El conductor está impaciente. La puerta del autobús sigue abierta. Abel aprieta los labios.

Y entra.

El camino que va emprendiendo ahora va borrando al camino que va dejando atrás. Lo que va dejando atrás ya no existe. Va desapareciendo como si fuera tragado por una enorme boca de cocodrilo. Por un depredador de dientes filosísimos. Insaciable, el olvido es su fortaleza. Viajar es perpetuarse. Las imágenes vistas a través de la ventanilla son sustituidas por otras imágenes que a su vez serán sustituidas por otras. Y así hasta el último día de los días. Una casa con fachada blanca que sustituye a una casa con fachada azul que sustituye a una casa con fachada verde que sustituye a una casa con fachada rosada que sustituye a una casa con fachada blanca. Y otra vez empezar de nuevo. El olvido parece la más grande de las transformaciones. Los recuerdos, en cambio, son seres inútiles, holgazanes, porque no hacen sino permanecer fijos, echados como perros en alguna parte del cerebro. Lagunas y no ríos, estanques y no mares. Lo mejor es ser otro distinto cada día sin dejar de ser el mismo. Ser muchos yos a un mismo tiempo, pero, al contrario de las imágenes que pasan a través de la ventanilla, fugaces y abruptas, lo mejor es no renunciar nunca a esos yos. Intentar saturarse con ellos. Morir con los pedazos suturados. La cabeza de Abel está llena de confusiones. Puertas que se cierran y se abren hacia dentro y hacia fuera, como las batientes de una cantina. Entrar y salir. Encuentros, desencuentros. Abel no se ha dado cuenta que ha oscurecido. Tiene un ligero cosquilleo en el párpado izquierdo, pero nada de importancia. O tal vez sí. Un ligero cosquilleo en el párpado izquierdo puede tener más importancia de la que parece. Historias sobran al respecto. El cosquilleo puede ser síntoma de alguna enfermedad grave. Puede acarrear una parálisis facial, piensa el acobardado. Una hemiplejía. Síntoma puede ser de un tumor en la cabeza, que esté obstruyendo alguna nervadura ocular y la haga tambalearse. Podría ese tumor estar alojado en una zona inaccesible al bisturí. Un tumor inoperable. Le quedan pocos días de vida, señor Corona, diría el doctor sentado detrás del escritorio, con los brazos cruzados y la manga de la bata blanca manchada de salsa picante. Si usted se hubiera atendido a tiempo. Un cosquilleo en el párpado izquierdo es muy delicado, a saber. No debió echarse en saco roto, señor Corona. Mire usted las consecuencias. Ahora nada nos ganaríamos con rajarle la cabeza. Llegar a la raíz del tumor es prácticamente imposible, señor Corona. Abel miraría sarcasmo, placer, en el gesto del doctor dando la noticia. Repudiaría la frialdad con que da las noticias a sus enfermos. ¿Qué quiere que le diga yo? ¿Seis meses? La verdad tiene un solo camino, señor Corona. Abel se tallaría las rodillas con desesperación. Se mordería las uñas. Querría salir corriendo de ahí. Ir dejando sus pedazos regados en todas partes, el tiempo ya se encargaría de suturarlos. No, señor Corona, si le digo seis meses le estaría diciendo una gran mentira. Mi ética profesional no me lo permite. A usted le queda cuando mucho un mes, señor Corona. ¿Y usted cree, doctor, que pudiera remitir mi expediente a Guadalajara o al Distrito Federal?, preguntaría Abel sin poder reprimir el cosquilleo en el ojo, que ahora se ha convertido en tic. Lo cierra tres veces cada tres segundos. Tic tic tic. Siente una basurita, una terrosidad, debajo del cosquilleo. ¿Cree que podría hacerme

Hidalgo y Villa Hidalgo, sintió que era un llamado, una voz profética anunciándole una buena nueva. Clavando la vista en el anuncio, se dirige al mostrador y pide un boleto. Abre su maleta en busca de dinero, hurga una y otra vez, y se percata de que le hace falta la bolsa negra. Tampoco encuentra la bolsita con las joyas. Lo han robado. Piensa que tal vez ha sido el cargador de la Terminal, ¿pero de cuál? ¿En Sabinas Hidalgo? ¿En Monterrey? Pero: ¿al llegar o salir de Monterrey? ¿Aquí mismo en Tepic? Sospecha que tal vez Paty. El nombre de Hortensia no le pasa en ningún momento por la cabeza. Le queda poco tiempo para llegar a conclusiones. En milésimas de segundo pasan volando como pájaros desorbitados innumerables intuiciones. Hurga en su billetera y encuentra las monedas justas. Aquí tiene, dice. La boletera le hace una seña linda con el ojo. Está hermosa la boletera. La boletera es una gardenia. Abel no puede evitar, al pensarlo, recordar el bolero inmortal. *Dos gardenias para ti, / con ellas quiero decir, / te quiero…* La boletera le devuelve el cambio, que Abel coge del mostrador y se echa en la bolsa del pantalón. El autobús está saliendo en el andén ocho. La muchacha vuelve a procurarle otro gesto lindo. Gracias, dice Abel pensando al mismo tiempo que pudiera quedarse con ella para vivir juntos por toda la eternidad, si ella se lo pidiera. Mientras camina: imagina. Tal como lo hizo con la muchacha del carretón de tacos, podría encontrar un trabajo en la Terminal. Empezar aseando los baños sería empezar por algo. Y ella, la boletera, a la que Abel llama en su imaginación Estefanía, porque le suena a Epifanía, palabra cuyo significado en realidad desconoce pero al que ha llegado muchas veces por asociaciones casi de tipo surrealista, seguiría atendiendo en el mostrador. Abel trabajaría

usted ese favor? Mientras Abel pregunta, el doctor miraría el televisor en una esquina de su escritorio. O seguiría embadurnándose de salsa picante con los tacuachones de adobada que comería y cuyo plato dejaría justo encima del expediente de Abel. Usted sabe, señor Corona, que esos trámites demoran demasiado. Tres meses para redactar el oficio, más o menos. Tres meses para contestarlo, más o menos. Luego otros tres meses para los registros de traslado en la delegación, más o menos. Para ese entonces, Dios no lo quiera, su cuerpo no sería más que un montón de huesos pelones, señor Corona. Huesos para caldo de res. El doctor lo diría riéndose con mofa entre dientes. Abel miraría a la asistente enfermera sentada junto al ventanal. La asistente enfermera estaría limándose las uñas, escuchando sin escuchar las sentencias del doctor. Cruzaría una pierna y luego la otra, con aburrimiento y tedio. Aunque detrás de Abel habría una fila de pacientes esperando entrar con el doctor, el doctor y su asistente enfermera no tendrían ninguna prisa. Despreocupados, dos robots programados para no sentir ni frío ni calor ni enfermos graves ni enfermos enfermos, hablarían de cualquier cosa y lo harían de frente a Abel como si Abel en realidad fuera un muñeco de trapo o una momia. ¿Y consiguió los boletos, Maguito? Fíjese que no, doctor. Pero mi hermana piensa que si nos vamos temprano los podemos conseguir en la reventa. Sí, Maguito, hay mucha gente que revende. Está de moda ahora. Jeje. ¿Usted había ido, no? Hace mucho ya, sí. Con mi primera mujer. Por cierto, ¿qué ha sido de ella? ¿Y usted cree que si me someto a un tratamiento homeopático…? Se fue a vivir a Ensenada. ¿…podría servirme de algo, doctor? ¿Se volvió a casar? Sí, con un ingeniero agropecuario. ¿Digo, la medicina alternativa suele...? Un hombre de mucho dinero. No me diga. Porque yo tengo una prima que le diagnosticaron cáncer. Entonces le fue rebién, ¿no? Y le daban dos meses de vida, pero de eso hace siete años, doctor. Le fue rebién, sí. Eso es lo que quería. Usted no tendrá dinero, doctor, pero está usted muy guapetón. Ahora incluso puso una tienda naturista. Favor que usted me hace, Maguito. Usted sabe que no lo engaño, mi doctor. Y da charlas terapéuticas a los enfermos que se acercan ahí. Enfermos en apariencia terminales. Y usted sabe que yo la recompenso, mi Maguito. Ay, doctor. Maguito, ay. Abel seguiría hablando como una máquina de feria enclavada en un desierto. Sería sólo un espejismo. Y no podría hacer nada tampoco. Dentro de las cuatro paredes que es su cuerpo daría puñetazos a diestra y siniestra. Sonidos huecos retumbarían, nada más. Luego tendría que limpiar con gasa las paredes manchadas de sangre. Su cuerpo, un saco de espinas hacia dentro.

Después de muchas horas de viaje, Abel desciende del autobús en la Terminal de Tepic, la madre tierra del poeta Amado Nervo, a quien leyó en la secundaria. Alguna vez declamó alguno de sus poemas, aprendidos directamente de su libro *El declamador sin maestro*, que compilaba la poesía de otros poetas modernistas. Abel no olvida que deseó convertirse en Amado Nervo, aunque poco a poco se conformaría con ser simplemente amado. Abel Corona se congratula con el jueguito de palabras que ha encontrado. Lo repite: si en aquel tiempo quería ser Amado Nervo, hoy sólo quiero ser amado. Se da cuenta que, en realidad, odia los jueguitos de palabras. Odia que los inteligentes quieran, aparte, demostrarlo. Lo mejor es quedarse callado. Vida, ponteme en paz, que nada te debo. Cerrado el pico no en-

tran moscas. Abel arrastra la maleta por el suelo grasiento. Lleva la guitarra colgada en el hombro. Al cruzar por el mostrador, gira la cabeza a la derecha y detiene la vista en el anuncio de destinos. Lee algunos poblados: San Blas, Ruiz, Acaponeta, Santa María del Oro, Villa Hidalgo. Abel regresa la vista y vuelve a leer: Villa Hidalgo. Repite el nombre mentalmente. Establece velozmente correspondencias entre Villa Hidalgo y Sabinas Hidalgo. Le vuelve el tic al ojo. Lo cierra y lo abre tres veces cada tres segundos. Tic tic tic. Clavando la vista en el anuncio, se dirige al mostrador y pide un boleto a Villa Hidalgo. No podía ser mejor la coincidencia. Siente de pronto que se trata de un buen presagio. En el fondo, Abel es un supersticioso. De dientes hacia fuera, como todo el mundo, se muestra descreído de todo lo que huela a dictámenes divinos y horóscopos, pero de dientes hacia adentro no puede dejar de leerlos sin sentir que, en realidad, alguien de muy arriba, pero de muy arriba, conoce su porvenir y se lo dice utilizando como médium a la gorda esa con ojos de tapachiche milpero que escribe los horóscopos en la revista semanal. Una gorda que siempre está a dieta, por cierto. Abel, sin que nadie lo sepa, es besado por Dios y Jesucristo todas las mañanas al levantarse. Dios con barba y Jesucristo con barba. Las dos barbas rojizas y largas, como el pelo y las pestañas. Lo besan en sendas mejillas y le señalan el camino hacia la luz. El camino hacia la luz es una puerta brillante que se abre en el cielo, más allá del horizonte. Arriba: en el cielo. Abel ve esa puerta de luz, señalada por la mano de Dios y Jesucristo, y sabe que cada paso que da lo conducen a ella. Abel Corona ve esa luz al fondo del camino, aunque lo niegue mil veces. Por eso cuando encontró la correspondencia entre Sabinas

la jornada de sol a sol, y al salir, Estefanía y él cogerían el pesero para volver a casa, felices de su reencuentro. Sus ojos lo merecen. Basta verlos y sobra. La boletera tenía los mismos ojos de la Muni, su amor de niños. A la Muni le decían la Muni porque era prieta como una munición. Prieta y chaparrita pero petaconcita y muy simpática. La única forma de distinguirla en la oscuridad era haciéndola reír picándole las costillas. Sus dientes blancos como copos de nieve resplandecían en la noche. Los ojos de la boletera recordaban los ojos de la Muni. Sus ojos que lloraron inconsolablemente en el último adiós.

Un mes después de la muerte de Ismael mi hermano, el procurador de Justicia nombró como nuevo agente del Ministerio Público de la mesa cuarta al licenciado Gerardo Peñaloza Vizcaíno, un hombre con una pierna más grande que la otra, lo que lo hacía cojear al caminar. Como el licenciado Peñaloza Vizcaíno traía bajo el brazo un recomendado de nombre Gabriel Valencia, quien trabajó para él en la Procuraduría General de Justicia de Jalisco, el procurador me envió a la mesa quinta, encargada de investigar delitos graves: homicidio, robo calificado, violación, secuestro. El titular de la mesa quinta era el licenciado Baldomero Guerrero, mejor conocido de uno a otro costado del edifico como el Tigre Guerrero. Aunque era un hombre con ojos de comején y labios afilados, podía derribar un toro de un golpe. En la forma de abrir los expedientes se notaba su frialdad. Muchas veces quisieron despanzurrarlo, pero de todas salió sin siquiera un rasguño. El licenciado Guerrero era quien ejecutaba los trabajos sucios del procurador. Dicen que de tres secuestradores que logra atrapar, manda al pozo a dos. De cinco, a cuatro. De siete, a seis. Y así hasta el infinito. Divide y vencerás es su lema. Cuando me presenté con él la primera vez, me dijo: lo que vea usted dentro de estas cuatro paredes (se refería a las cuatro paredes de su oficina) nada a nadie. Usted desde ahora es una tumba, ¿está conmigo? Sí, licenciado. Luego abrió el cajón de su escritorio, sacó una pistola escuadra 9 mm marca Beretta, idéntica a la que usaba Morentín, y, cogiéndola del cañón, me la extendió. No la deje ni para ir al excusado. No, licenciado. Sopesé la pistola y la encajé en la parte delantera de mi pantalón. Minutos después me presentó a las secretarias, Irma y Guille. La primera de las referidas era amante de uno de los médicos forenses y la segunda, también, aunque entiéndase que no del mismo, al menos hasta donde se sabía. Aunque Irma la flaca y Guille la gorda ya habían pasado por las armas de toda la comandancia judicial, eran buenas personas. No hay puta que no sea buena persona, diría tiempo después el licenciado Guerrero. Como usted puede ver (el licenciado me hablaba ahora sospechosamente de usted) la mesa quinta es diferente al resto de las mesas, donde se trata con mariconcillos, mujeres despechadas y otras de esas babadas. Aquí no hay que asustarse de nada y no hay que ser tan diligente con nadie, ¿está conmigo? Sí, licenciado. El licenciado Guerrero me estaba indicando el archivero de los expedientes consignados cuando por la puerta entró intempestivamente un muchacho gordito, moreno, de ojos de sapo, cargando una bolsa con tacos y refrescos. Era el licenciado Hernán Seúl Estuardo Ríos Ríos. Dejó la bolsa sobre el archivero de los expedientes consignados y le entregó unas llaves al licenciado Guerrero. ¿Qué?, preguntó el licenciado Guerrero. Pues nada, licenciado, nomás me dijo que usted pusiera la orquesta y ella cantaba. De esas me gustan, dijo el licenciado Guerrero sin evitar mostrar un tris de orgullo. Luego giró el asiento y me dijo: este es mi más seguro y ferviente servidor, ni más ni menos que el ínclito y siempre bien remunerado Hernán Seúl Estuardo Ríos Ríos. Le extendí la mano y me la apretó con fuerza, como si tirara de un cable. Hernán Seúl Estuardo era el oficial secretario de la mesa, es decir, el segundo a bordo después del licenciado Guerrero. Se notaba que tenían una relación cercana. Había estado trabajando con él más de tres años, lo que era considerado un récord. Al licenciado Guerrero le duraban en promedio dos o tres meses los asistentes y Hernán Seúl Estuardo Ríos Ríos había pasado con creces la prueba. A mí me asignaron una mesa al lado de la suya, dentro de la misma oficina del licenciado Guerrero, cuyo enorme escritorio lleno de pilas de expedientes quedaba enfrente del nuestro. Román y Sabino seguían de agentes judiciales investigadores adscritos a esta mesa investigadora. Eran también de todas las confianzas del licenciado Guerrero. Román, un tipo panzón de labios gruesos que miraba levantando las cejas y hablaba con una voz arrastrada y pastosa, había sido condecorado cinco años consecutivos como mejor agente investigador. Sabía todas las argucias judiciales y podía encontrar, se decía, una aguja en un pajar. Sabino, su compañero, iba dos o tres pasos detrás de él. No más. Sangre fría como Román, Sabino contaba con un olfato único. Podía oler pistas a cien kilómetros de distancia. Dúo envidiable. Lo que no tenía Román lo tenía Sabino y viceversa. La mesa quinta me empieza a gustar, pensé mientras ordenaba los expedientes por año y luego por número, dándole prioridad a aquellos que estuvieran para consignación. Me sentía bien con la pistola fajada en el pantalón y con la placa de judicial en la cartera. Con ella podía entrar a los bules sin pagar y sin que nadie me viniera a revisar las verijas. Entre los expedientes que revisaba sobresalían las fotografías de las víctimas de homicidios y los rostros de pánico de los secuestradores. Recuerdo que esa mañana busqué el expediente de Ismael mi hermano, pero no pude encontrarlo. Como era un caso reciente, pensé que debía tenerlo el licenciado Guerrero en su archivero personal, el cual dejaba cerrado bajo llave. Después de varios días de trabajo, empecé a sentirme en casa, como si me hubieran regalado un saco y el saco me hubiese quedado justo a la medida. Poco a poco fui haciendo amistad con las secretarias, en especial con Irma, que tenía una boca de mamadora profesional. Labios saltones, dientes un poco pronunciados hacia fuera, pero sobre todo la delataban sus pantalones entallados y su mirada lujuriosa. Tetas grandes hasta ya no más. El peso de la tetamenta le arqueaba un poco la espalda. Con Hernán Seúl Estuardo inicié más pronto que con nadie una amistad franca, espontánea, por eso cuatro o cinco días después de conocerlo le dije que si ocupaba una habitación no olvidara que mi casa era su casa. Antes me había dicho: si sabes de alguna casa por ahí, me avisas. Algo bueno pero barato. Hernán Seúl Estuardo me agradeció la oferta, agobiado como estaba de ir y volver casi todos los días a Manzanillo. Dos días después ya estaba mudándose a mi casa. Antes de que entrara, le advertí: nomás no me toques la guitarra. Hernán Seúl Estuardo entró sin decir nada. La sola mención de una guitarra le significó un hecho asqueroso. Pero es que poco he hablado de mi guitarra hasta ahora. Mi guitarra me ha acompañado durante muchos años. Es una guitarra de Paracho que le compré a un cantautor retirado. Desde que empecé a cantar en bares y restaurantes, la guitarra fue una especie de covacha. Detrás de ella, como de mis libretas negras que aún conservo, podía cruzar mares a nado. Las guitarras son fortalezas y sólo tienes que rasgar sus cuerdas para levantar un contrafuerte entre tú y el mundo, entre tu mano que se retira y la mano de los otros que se extiende. Una guitarra como mi guitarra, de Paracho, sirve para darte una casa y una calle en el mundo. Sirve para darte una identidad. La primera vez que dejé la casa casi la pierdo para siempre. El jotito que iba en el autobús, supuesto hermano de una compañera de secundaria, me insistió que se la dejara encargada. No te la lleves, hace mucho bulto, decía el jotito. Y yo estuve a dos brazos de perderla. No me imagino cómo hubiera sido mi vida sin ella. Porque una guitarra parece sólo una guitarra pero es siempre algo más que eso. Tenerla al pie de la silla en la que levantas denuncias, y rasgarla de vez en vez cuando te viene a la memoria la letra de una vieja canción, una vieja canción como "La enramada" o "Poquita fe", o cuando intentas disuadirte de ti mismo, huir de pensamientos escarpados, volver de imágenes despiadadas, es igual que un vaso de agua fresca para el sediento. Es igual que una resurrección.

Iba emergiendo de estos pensamientos como de un lago de aguas mansas, cuando entró intempestivamente por la puerta de la oficina Hernán Seúl Estuardo Ríos Ríos. Llevaba cogido del brazo a un detenido. Era un hombre mugriento, con cara de hipopótamo y dientes amarillos de nicotina. Hablaba viendo siempre al suelo. Gordo. Pelos hirsutos. Parecía un pepenador. Su mujer, después de años de callar, decidió denunciarlo. El delito: violación. El licenciado Guerrero cerró el expediente y le pidió a Guille que metiera la máquina. La declaración sería a puerta cerrada. Ustedes pueden quedarse aquí, dijo refiriéndose a Hernán

Seúl Estuardo y a mí. El hombre seguía con la vista fija en el suelo. Sabino, que permanecía en la puerta, recorrió uno de los sillones para que el detenido se sentara. El licenciado Guerrero movió un dedo diciendo no. El detenido se iba a hincar en el piso duro. Así rendiría su declaración. Hincado como el perro que es, ¿está conmigo? El hombre no levantó tampoco la vista, ni dijo sí ni dijo no. El licenciado Guerrero insistió: ¿está conmigo? Esta vez lo dijo apretando las mandíbulas. El hombre no pronunció palabra. Un río de sudor le bajaba de las orejas al cuello. Una gota que avanzaba por su piel mugrosa. Apesta este tipo, dijo el licenciado Guerrero y las venas del cuello se le saltaron. Guille metió original y copia al carbón en la máquina de escribir marca Olivetti y el licenciado Guerrero se sentó al lado de ella, frente al detenido. Hernán Seúl Estuardo y yo permanecíamos en pie contra el marco del ventanal. Sabino y Román esperaban afuera. Cualquier cosa que necesite, licenciado, nomás nos chifla, dijo Román al cerrar la puerta tras de sí. El detenido seguía con la vista en el suelo, sudando mares, esposado por la espalda. Me vas a empezar a contar todo desde el principio, campeón, dijo el licenciado Guerrero teniendo delante el expediente con la denuncia. El hombre no hablaba. Parecía que estábamos frente a un mudo o un retrasado mental. Un tonto de babas, sí, pero un tonto de babas lujurioso y carroñero. Está bien, te voy a dar diez segundos para que contestes. Uno, dos, tres, cuatro, cinco, seis..., empezó a contar en la mente. Cuando llegó a la cuenta de diez, el licenciado Guerrero se enroscó un pañuelo alrededor de la mano, que empuñó con fuerza, y se levantó de la silla. Esto es (dijo dirigiéndose a nosotros) para que ni la puta que parió a este desgraciado, que seguro está en los cielos, lo sepa, amigos. Luego, rodeó el escritorio y dio dos puñetazos al hombre en las costillas. El hombre profirió un estertor seco, metido hacia adentro. Sintió un dolor enchiloso en el cuerpo. La próxima vez que me hagas levantarme será para bajarte a los separos con Sabino y Román, hijo de la chingada. El licenciado volvió a su silla y abrió de nuevo el expediente por el medio. Te escucho. ¿Desde cuándo has estado violando a tus hijas? La mayor de las niñas tenía nueve años y la menor siete. En la fotografía anexada al expediente, la mayorcita presentaba una cicatriz pronunciada en una mejilla. Desde hace como cinco años, dijo el hombre sin levantar la mirada. El licenciado sacó rápidamente la sumatoria de la edad, y se dio cuenta de que lo que tenía frente a su vista no era un retrasado mental sino un sátiro de mierda. Y le hiciste lo que le hiciste a la mayor porque ya no quiso que te le encaramaras, ¿estás conmigo? Sí, licenciado. El licenciado provocó un silencio, normal para este tipo de situaciones, que atrajo una atmósfera de tensión. Entonces, transcurridos algunos segundos, el detenido comenzó a hablar en voz baja, pero que era posible escuchar sin mucha dificultad. El presunto responsable irguió la cabeza sin levantar la vista. Declara que se había juntado a vivir con la denunciante hacía más de quince años, cuando él trabajaba como ayudante de albañil en una constructora de Villa de Álvarez, de donde lo corrieron por haberse robado dos carretillas y una llanta de revolvedora. Su jefe se reservó el derecho de presentar denuncia. De su unión con la denunciante nacieron las dos afectadas, una niña de nueve años llamada Ángeles y la otra de siete, Rosa Gabriela. Declara el detenido que no sabe por qué razones un día se descubrió tocándole la puchita a la mayorcita, es decir, a Ángeles, cuando ésta tenía alrededor de tres años. Quiso detenerse, declara, en un principio, pero como vio que la niña lo miraba con su carita risueña, pensó que le estaba haciendo un bien y continuó sin detenerse. El hombre se limpia el sudor con el hombro. Parece hablar desde otro mundo o planeta. Sé que merezco que me maten, declara repentinamente, como en un lapsus de conciencia. Al inicio, declara, les hacía esto a las afectadas sin que se diera cuenta Alma, esto es cuando Alma su mujer estaba en el trabajo. Las amenacé con ahogarlas en un pozo si le decían algo a su mamá, de manera que a las niñas ni siquiera por el pensamiento les cruzaba la posibilidad de confesarle a su madre lo que el presunto responsable les hacía. El hombre utilizó también objetos para llevar a cabo sus fines, declara. Por ejemplo una zanahoria o un pepino, que les introducía lo mismo en el ano que en la puchita. Las niñas se mostraban contentas, por eso él pensó que les estaba haciendo un bien y continuó sin detenerse. Después, con el tiempo, obligó a su mujer a que lo viera mientras les hacía eso que le hacía a sus hijas, así como obligó a sus hijas a que lo vieran mientras realizaba el coito con la ofendida, en la misma habitación donde dormían las pequeñas, que era también la habitación donde dormían ellos, porque la casa en realidad es un cuarto grande sin divisiones de ningún tipo. En efecto, también amenazó a su mujer con cortarle el cuello si se le ocurría denunciarlo a las autoridades. Declara el detenido que cuando la mayorcita de sus hijas, es decir Ángeles, se opuso a seguir teniendo contacto sexual con él, fue que se vio en la necesidad de aplicarle un castigo severo. Pensó qué podría ser un castigo severo y luego de un rato resolvió amarrarla con una cadena a un árbol en la parte de atrás de la casa, junto a una cañería. La arrastró de un brazo y la amarró de una de sus piernitas, dejándola sin beber agua ni probar bocado durante dos días, que creyó suficientes como escarmiento. Declara el detenido que, en efecto, no fueron dos días sino una semana los que la mayorcita de sus hijas estuvo amarrada al árbol, porque a los dos días, cuando le fue a preguntar si ya tenía con eso o quería más, la mayorcita de sus hijas no quiso responderle nada, ni siquiera le hizo un ademán de nada ni tampoco levantó la cabeza. El detenido no niega que se percató en ese momento de que a la mayorcita de sus hijas se le estaba pudriendo la piernita donde tenía amarrada la cadena, tal vez porque se la apretó más de lo debido o no sabe, pero reconoce que pensó que los niños pronto se recuperan de las heridas y que en esta ocasión no sería la excepción, de manera que es hasta ahora que se entera de que a la niña le tuvieron que amputar la piernita debido a la aguda infección que presentaba.

El licenciado Guerrero ha escuchado al hombre con el entrecejo fruncido, dando sacudiones respiratorios propios del que quisiera arrancar de cuajo los huevos a un mamífero carnicero. Hojea hacia delante y hacia atrás el expediente, buscando alguna información escondida. El detenido está confeso, así que ir más allá no agregaría nada a la resolución final. Entonces Guille, quien ha mecanografiado la declaración apaciblemente, sin inmutarse demasiado, sino con cierta ansiedad o desesperación porque es hora de checar salida, saca la declaración ministerial y la da al licenciado Guerrero, quien a su vez pide que le quiten al detenido las esposas para que la firme, si sabe firmar, o en su defecto, estampe su huella. Luego llama a Sabino y a Román y les pide que lleven a dar una vueltecita a este caballero allá por el rumbo del Chanal, con lo cual está indicando que le den una buena calentadita antes de mandarlo al Centro de Readaptación Social, donde ahora, según el licenciado Guerrero, los tratan mejor que a señoritas Fotogenia.

Román y Sabino levantan de las esposas al detenido y lo bajan a los separos, desde donde lo llevarán a dar esa vueltecita ordenada por el licenciado Guerrero. Guille ha cogido su bolso y ha salido corriendo también a la busca de su médico legista. Lo propio ha hecho también Irma. Así, después de unos minutos, la oficina se ha quedado vacía. El traqueteo de las máquinas de escribir se ha transformado en un silencio de tumba, una soledad de isla. Como si hubiera estado previamente de acuerdo con el licenciado Guerrero, Hernán Seúl Estuardo guarda los expedientes en el cajón de su escritorio y sale diciendo que no lo espere a comer porque hoy viene su padre de Manzanillo y van a ir a un botanero de Comala. La oficina es un grumo de neblina densa, un viento nudoso y cancerígeno sobre una piel de armadillo. Todo parece recubierto como por un manto de humo pestilente. Siéntate, Abel, oigo que me dice una voz más bien apacible. El licenciado Guerrero recorre su sillón, repasando con un dedo el borde, y pone un expediente choncho sobre la mesa. Se quita el reloj y lo coloca a un lado de una fotografía donde aparece del brazo de su mujer, ambos sonrientes frente a la cámara. Me siento frente a él, poniendo los codos sobre el escritorio, y empiezo instintivamente a tamborilear la mano izquierda. El licenciado Guerrero me dice que si durante todo este tiempo no me ha hablado del asunto de Ismael mi hermano no es porque sea un rajado, sino, más bien, porque no ha querido decir hoy una cosa y mañana otra. En estos casos nunca se sabe. No hay que hablar sin tener bien agarrado al gallo del cogote. Discreción es lo que le pido nomás (ahora empieza a hablarme sospechosamente de usted otra vez). Recuerde que usted es una tumba, ¿está conmigo? Sí, licenciado. El edificio está prácticamente vacío. Es posible escuchar, solitaria, una máquina de escribir. Es la máquina de guardia. Levanta una denuncia o una fe ministerial. Las manos que teclean lo hacen desganadamente. Vuelven a aparecer las mismas preguntas de siempre: edad, estado civil, fecha de nacimiento, ocupación, domicilio, motivo de la denuncia o querella. Denuncias o actas ministeriales que vienen a engordar los archiveros desvencijados. Nadie quiere verlos. Son un asco. Ahí dentro hay una ciénaga de improperios. Borbotea odio y resentimiento ahí. Según lo que se desprende de las averiguaciones previas, ahora sí podemos hablar un poco más del asunto. Pero vamos a empezar por el principio. El licenciado Guerrero echa hacia atrás el asiento, busca una posición cómoda que le permita hablar sin digresiones. El asunto de mi hermano es más complejo de lo que parece, según puedo verlo en los ojos achinados del Tigre, quien en realidad no sabe por dónde empezar. Lo ha dicho más de tres veces: empecemos por el principio. Y después se ha metido en vericuetos verbales innecesarios. La declaración de Adela fue fundamental, eso sí puedo asegurarle. El licenciado Guerrero parece ir al grano. Me sorprende su comentario porque no sabía nada al respecto. Adela nunca me lo dijo, ahora quizá vengo a caer en sus insinuaciones. La vi en dos o tres ocasiones después de la muerte de Ismael mi hermano, pero poco a poco fuimos distanciándonos hasta que el fuego se apagara. Y hasta dejar que de las brasas sólo quedara ceniza, desperdigada por el viento. Fue mejor así. Las mujeres mayores son difíciles, caprichudas, pierden la cabeza de un instante a otro. Son niñas meonas. Es cierto que más de alguna vez quise remover las ruinas para verla, pero muy a tiempo di marcha atrás. Por algo será. Según se desprende de la declaración de Adela, ésta llegó a conocer al presunto responsable. Alguien dio un portazo en la oficina de junto. Lo conoció hacía más de cuatro o cinco años. Se presentó el presunto responsable en la oficina de Ismael mi hermano. Lo buscó para pedirle un consejo. Venía recomendado por alguien, cuyo nombre no quedó asentado en actas en virtud de que Adela no lo pudo precisar. Parecía de buenos modales. El presunto responsable estuvo alrededor de una hora en la oficina de mi hermano. Era un hombre, en efecto, moreno, pelado de casquete corto, tipo guacho. Delgado, anatomía negroide. Piel correosa. Rasgos que coincidían con los que ofreciera en su declaración ministerial el reponedor de la gasolinera. El presunto responsable apareció de la nada, un día como cualquier otro, lo que causó en Adela un poco de extrañeza. Declara que sólo un poco de extrañeza, y no mucha, porque conocía las formas amigables del licenciado Ismael, en especial cuando se trataba de personas del sexo masculino. Después de esta entrevista, el presunto responsable visitó algunas cinco o seis ocasiones más a mi hermano. Solía esperarlo en la banca junto a las escaleras. Su actitud no levantaba sospechosa. Era más bien un hombre de buenas maneras y hasta quizás un poco introvertido. No miraba a los ojos de su interlocutor. Cuando el licenciado Ismael sabía que el presunto responsable estaba afuera esperándolo, no podía ocultar mostrarse impaciente. Apresuraba los trámites, postergaba diligencias o disuadía a denunciantes a que volvieran al siguiente día. Cada dos o tres minutos se asomaba por la puerta para avisarle al presunto responsable que no tardaría. En el último encuentro, mi hermano salió con el presunto responsable y no volvió hasta el siguiente turno. De hecho, la esposa del licenciado me llamó como a las seis de la tarde para decirme que si sabía algo de él porque no había ido a comer. Justo cuando le respondía que se había retirado desde temprano, mi hermano Ismael apareció en la puerta del edificio, caminando a paso apresurado. Después, el presunto responsable desapareció por un periodo largo, de año o año y medio, para luego volver a aparecer repentinamente. Un día, entre una conversación que Adela sostuvo con mi hermano, salió a colación la persona del presunto responsable, cuyo nombre no supo hasta el día mismo de su declaración ministerial. Se llamaba José Luis Martínez Esparza. Adela, entre extrañada y no, comentó a mi hermano que por qué ya no lo había visto por aquí y mi hermano Ismael le explicaría, al paso, aunque siempre encubriendo un enorme interés, una felicidad solapada, que le habían cambiado la ruta y lo habían enviado allá por el lado de Veracruz y toda esa zona. Según lo dicho por mi hermano a Adela, José Luis Martínez Esparza era chofer de tráiler y trabajaba para una empresa de Jalisco. Como se desprende de su declaración, el presunto responsable desapareció por un lapso de un año o año y medio. Durante este periodo, Adela llegó a escuchar conversaciones telefónicas que hacía el licenciado Ismael con alguien que parecía no estar residiendo en la ciudad, pero no podría precisar si el interlocutor de las mismas era el hoy presunto responsable, aunque infiere que así es. Pasado ese tiempo, otro día cualquiera, volvió a presentarse en la oficina el presunto responsable. Se presume que mi hermano lo estaba esperando con antelación, porque justo cuando el presunto responsable pedía a Adela ver al licenciado Ismael, mi hermano abrió la puerta de su oficina y lo hizo entrar, diciéndole a Adela que por favor no le pasara ninguna llamada ni permitiera que lo interrumpieran. Según se desprende de la declaración de Adela, una mañana que venía al trabajo en la ruta 3, a la altura del panteón municipal, por una de las calles laterales, vio a lo lejos la figura del presunto responsable. Vestía una camisa amarilla de manga corta y un pantalón café, así como botas de las denominadas industriales y lentes oscuros. Pensó decirle al licenciado Ismael al llegar a la oficina, pero en realidad no dio al hecho la menor importancia, porque nunca pensó que la tuviera, sobre todo porque ese mismo día, poco más tarde, el presunto responsable se presentaría de nuevo en la oficina. Esta vez iba para llevarle a regalar al licenciado un cuadro al parecer con unos caballos o unos osos, no podría precisarlo, y esta vez sería la última vez que lo viera por ahí, tanto al presunto responsable como, lamentablemente, a mi hermano Ismael. El licenciado Guerrero hizo una pausa. Pasó algunas hojas del expediente, miró aquí y allá, poniendo siempre un dedo en las hileras de palabras. Yo esperaba sin dar cabida a más elucubraciones. No me quedaba duda de que se trataba de un crimen pasional. Uno no se hace nunca a la idea. Por lo general, como se sabe, se piensa que las gravedades de la vida le suceden a otra gente. Yo así pensaba con el asunto de mi hermano. Que en realidad le había sucedido a alguien que era mi hermano, pero que al mismo tiempo no lo era. El licenciado Guerrero sacó del escritorio la bolsita con los objetos encontrados en el lugar del crimen. Contenía el pomo de vaselina, la navaja homicida y el llavero con la figura metálica del tráiler. El llavero tenía una llave. El licenciado

Guerrero la sacó y la aventó sobre el expediente que estaba frente a mis narices. ¿Ve eso? Sí, licenciado. Es una llave para abrir una puerta, ¿está conmigo? No me cabe duda, licenciado. Una puerta de casa, ¿está conmigo? Tiene toda la pinta, sí. Pues, en efecto, es una llave que abre una puerta de casa. ¿Pero usted sabe la puerta de qué casa abre esta llave? Ni idea, licenciado. Quisiera que Sabino estuviera aquí para que se lo dijera. Él, ayudado del perro sabueso que trae por compañero, dieron justamente con la puerta que abre esta llave. Son cabrones mis muchachos. Chiludos de atravesar paredes. El licenciado Guerrero hizo una pausa. Recogió el llavero y lo metió de nuevo a la bolsita. Lo fue siguiendo con la vista mientras lo introducía. Luego se me quedó mirando fijamente a los ojos y me preguntó secamente: ¿usted se anda cogiendo a una muchachita de nombre Silvia? No. Bueno, sí. ¿Sí o no? En los ojos del licenciado Guerrero aparecieron dos hierros candentes. Quiero decir, ya casi no, dije sin saber lo que decía. La puerta que abre esta llave es la de la casa marcada con el número 55 de la calle Longinos Banda de la colonia Infonavit. La puerta que abre esta llave es la puerta por la que se entra a la casa del presunto responsable, cuyo paradero desafortunadamente no he podido ubicar, porque de lo contrario, como usted sabe, ahorita mismo le hubiera mostrado su cabeza. Lo curioso del asunto (continuó el licenciado Guerrero) es que dentro de la casa encontramos algunas evidencias más que reveladoras. En la pileta del traspatio estaba la ropa manchada de sangre usada por el homicida en el momento del crimen. Una camisa amarilla de manga corta. Estaban también las botas mineras y el pantalón café. Y, por si fuera poco, en uno de los cajones de la repisa aguardaba una tarjeta de presentación del licenciado

Roberto Quintero Alcaraz. Cuando pronunció ese nombre tragué un buche de saliva. Me rasqué el cuello tenazmente, sin lograr ocultar mi desesperación. El licenciado Roberto Quintero era primo hermano de Cecilio Alcaraz y tío directo de Silvia. El licenciado Guerrero notó algo en mi semblante y acotó: no se puede hacer gran cosa con esas pruebas. Hizo una mueca inaprensible y dijo: y llamar a declarar al licenciado Quintero, conociéndolo como es, nos puede meter en un problema no sólo de carácter legal sino político. Además, como diputado, el fuero lo protege, ¿está conmigo? Empecé a desenredar una madeja que había permanecido embrocada en una parte de mi cerebro, con las manos atenazadas y mirando al suelo raso. De pronto, la lámpara de sombrero de la oficina empezó a darme vueltas encima de la cabeza. Una borrosidad sentí en la visión. La estructura corporal se me tambaleaba completamente. Venían sombras y se iban, esfumándose entre paredes carcomidas. Otro dato más, Abel. El licenciado buscó de nuevo la declaración ministerial de Adela, señaló con un dedo uno de los párrafos últimos de un folio, y leyó: uno de esos días que el presunto responsable fue a visitar al licenciado Ismael, yo fui a los baños del Tribunal en lugar de ir a los de la Procuraduría porque los baños de mujeres de la Procuraduría estaban sin servicio. Al salir del baño me encontré con la licenciada Pina y me puse a platicar con ella en las escaleras, viendo de frente el edificio del Congreso del Estado. Unos minutos después pasó el presunto responsable, que no me vio, y entró en el Congreso del estado. Duraría algunos quince o veinte minutos dentro, tiempo en el cual yo seguí charlando de lo más tranquila con la licenciada Pina, quien me hablaba de los nuevos modelos de zapatos Rita. Momentos después, el presunto responsable salió otra vez caminando y se quedó en la esquina del monumento al soldado, recargando la espalda en la barda del archivo judicial. Al poco tiempo salió el licenciado Quintero, quien se encaminó donde el presunto responsable, le dijo dos o tres palabras, y luego cada cual emprendió el camino en dirección contraria. El licenciado Guerrero cerró el expediente y se echó otra vez hacia atrás. Repasó con la lengua sus encías de una comisura a otra y colocó sus manos en la nuca. ¿Qué asesino, después de cometer el crimen, se da el tiempo de venir a su casa a limpiarse el culo y a perfumarse? Y más en este caso, en donde el lugar de los hechos se dio a casi treinta kilómetros de la ciudad. El licenciado Guerrero no quiso dejar lugar a dudas y asestó: esto no parece obra de un solo hombre. Maquillaje puro y duro, don Abel, dijo. Recordé inmediatamente las palabras de don Chuy aquel día en el Deshuesadero. La vaselina sobre el capacete del carro, con la tapa a un lado. La profundidad de los orificios. Las advertencias de Adela. Empezó a crecerme un hueco en el esternón, que opacaba la voz que me solía subir desde ahí a la garganta. La intromisión del diputado Quintero era por demás sugerente. Un abogado penalista que gozaba de muy mala reputación. Sus nexos con el narcotráfico eran del dominio público, pero por pertenecer a un sector influyente de la política local, el cual se ha adueñado prácticamente del norte de la ciudad, nadie abre el pico. ¿Entonces me está insinuando que yo puedo ser el próximo, licenciado?, pregunté temiendo escuchar lo que no quería escuchar. El licenciado Guerrero se puso en pie. Se fajó la pistola en la sobaquera y caminó hacia la ventana. Miró el lote baldío en la otra acera, el basural de hojas. Respiró hondo y contuvo la respiración un instante. Movió la cabeza de un lado a otro, como intentando decir con ese simple acto que la vida tiene reveses inesperados. Después vino hacia mí y me puso una mano en el hombro. Yo no le estoy insinuando nada, don Abel, dijo. Luego ordenó: vámonos porque en quince minutos empieza la variedad en Las Tres Camelias, ¿está conmigo? Sí, licenciado, dije incorporándome. El licenciado Guerrero cerró con llave la puerta de la oficina y empezó a caminar a paso lento por el corredor desolado del edificio. Yo lo seguí unos cuantos pasos detrás de él, con las manos metidas en las bolsas del pantalón, sin muchas ganas de volver la vista atrás.

En la esquina del jardín principal de Villa Hidalgo, Abel Corona encontró a un hombre que le inspiró confianza. El hombre estaba recargado en el tronco de un árbol cuya sombra se extendía hasta la otra acera. La confianza fue mutua entre el hombre y Abel Corona, quien no bien se acercó le preguntó que si sabía de algún trabajo por aquí. Me dijeron que Villa Hidalgo tiene fama de ser buen pueblo tabacalero, señor. Y ansina es, dijo el hombre. Y que el que no trabaja no es porque le falte trabajo sino por huevón, señor. Y ansina es, repitió el hombre. El hombre se sacó el sombrero y le dijo a Abel Corona: ande ahí en ca' los Caraballo y ellos le dan trabajo lueguito. El hombre escupió en el suelo y se limpió la boca con el dorso de la mano. Luego dijo: me llamo Macedonio Herrera, pa' servirle a usted. Yo soy Abel Corona, don Macedonio. Pero ¿y dónde está esa casa que me dice? Mire, dele aquí dos cuadras pa' delante y ahí ontá la escuela dobla a la derecha, pasando el mercado de frente está la iglesia, dobla usted en la iglesia y no hay jierre, usted va a ver de frente una casa que parece palacio pintada toda de blanco con el portón café grande de pura madera. ¿Y por quién pregunto? Pregunte por don Raúl Caraballo. Dígale que va de mi parte. Él me conoce bien. Fue mi patrón más de 35 años, hasta que se me derrengó la espalda y me mocharon la mano. Abel Corona se había dado cuenta de que al hombre le faltaba la mano izquierda pero no había querido reparar en ello. Por eso desde el inicio de la presentación, procuró no llamar la atención mirándole al hombre el muñoncito que le quedó. Prefirió hacer como que no se había dado cuenta. ¿Y eso cómo fue, don Macedonio? Un machetazo. Estaba cortando un coco con un machete chato. Al darle el chingadazo, tran, que se desvía y que me troza un dedo. El dedo cayó a la tierra como si fuera una pata de pollo, y cuando quise levantarlo para volvérmelo a pegar, un desgraciado pato que andaba jodiendo por ahí se lo tragó. Pato jijo de su chingada madre. Don Macedonio Herrera explicó a Abel Corona que él se hubiera dado de santos si sólo le hubiera quedado la mano con cuatro dedos, pero los de la Cruz Roja se encargaron de que a las pocas semanas la mano se le empezara a caer a trozos. Se empezó a poner morada, primero, luego empecé a no sentir los dedos, mire que no podía ni sacudírmela cuando terminaba de mear, y así hasta que el doctor me dijo que tenían que cortarla porque de lo contrario la gangrena se me extendería por todo el cuerpo. ¿Y usted es aquí de Tepic, entonces? No, soy de Colima, pero ya ve, uno está donde está el trabajo. Eso sí, eso sí, dijo don Macedonio Herrera. Yo soy de allá por el lado de los altos de Jalisco, pero tengo aquí más de 35 años, desde que me vine a trabajar con los Caraballo. Siempre he querido volver a mi tierra, pero ya pa' qué. Aquí están los hijos, los nietos, la mujer de uno y hasta las novias que le van saliendo a uno de vez en cuando. Don Macedonio profirió una media sonrisa. Volvió a escupir la tierra. Abel no quiso alargar más la conversación. Temía que fuera a hacerse tarde. Se despidió del hombre con un apretón de manos y siguió las señas que había recibido. Cruzó el jardín, dobló a la derecha en la escuela y caminó dos cuadras más. En la iglesia giró a la izquierda y, tal como se lo había indicado el hombre, vio al fondo de la calle cerrada la casa enorme de los Caraballo. El enorme portón de madera resaltaba de entre todas las techumbres de teja que circundaban la mansión. Parecía una imagen de principios de siglo: una hacienda cercada por las casas de los trabajadores. Casas pobres, de cartón o madera. Casas mantenidas a frijol y tortilla. Abel tocó tres veces el portón con los nudillos. De adentro salió una mujer que preguntó qué se le ofrecía. Abel Corona contestó que buscaba a don Raúl Caraballo. La mujer, de pelo corto y piel muy blanca, respondió que don Raúl no se encontraba y preguntó que si quería dejar algún recado. Abel empezaba a explicarle el motivo de su visita cuando por detrás del hombro de la mujer de pelo corto y piel muy blanca apareció quien parecía ser un familiar de don Raúl. En efecto, era su esposa. La mujer hizo pasar a Abel sin siquiera interrogarlo. Abel pensó que se debía a una equivocación. Seguramente la mujer me ha confundido, dijo, pero no hay mal que por bien no venga, pensó. La casa tenía las paredes pintadas de blanco y estaba completamente climatizada. Un paso después de la puerta de ingreso podía sentirse el cambio de la temperatura. Era como pasar del infierno al paraíso sin tener que transbordar en el aeropuerto de Los Ángeles. El enorme comedor sobresalía por su majestuosidad decorativa, diseñado con buen gusto, por cierto. Y la sala, de piel negra, se abría hacia un ventanal que daba a la piscina y a un jardín enorme donde crecían plantas de colores variadísimos y palmeras de la India. Recostada en una silla, de espaldas a Abel, podía verse la cabeza calva de un hombre. ¿Te mandan por lo del empleo, hijo? Abel confirmó que se trataba de una equivocación, pero no quiso desviar la conversación porque también creyó que si Dios o su mano santa le habían enviado esta barca para que se salvara, él no podía dejarla hundir. Abel se rascó la nuca, dejó la maleta y la guitarra en el suelo, y dijo: sí, señora, vengo a ver lo de un empleo. Abel Corona intentó dejar que las palabras se prestaran a confusión para poder, en un momento determinado, justificar su intromisión. Bien, dijo la mujer. ¿Y quién te envía, hijo? Me envía don Macedonio Herrera, contestó Abel sintiendo que el nombre de don Macedonio Herrera podría salvarlo, como en realidad lo fue. Pero mira nada más, pero mira nada más. Qué alegría. Tan querido que es para esta familia Macedonio. Sí, de hecho me dijo que les diera muchos saludos de su parte. Pero cómo no, pero cómo no. Mi nombre es Abel Corona, dijo Abel adelantándose. Yo soy Concepción Delgado, hijo, esposa de don Raúl e hija de don Rafael, con quien nos ayudarás desde ahora. Abel no entendía muy bien lo que estaba pasando. Intentaba hilar la madeja desparramada de lo que sucedía, pero entre más hilaba por un lado, más deshilaba por otro, como Penélope pero a la inversa. Sin embargo, la mujer que hablaba mucho le pareció una buena mujer, no una de esas ricas cantamañanas que enchuecan la boca al hablar y sienten que la virgen les habla. Mujer con los pies bien puestos en la tierra. Sensible, humilde, tanto que parecía una empleada más de la casa. La servidumbre le llamaba Conchis, aun cuando a don Raúl Caraballo ello le pareciera un irrespeto. Sígueme, ordenó la mujer. Abel fue tras ella por el corredor lateral de la casa. Cruzaron el jardín por un camino de piedra. La mujer saludó a un hombre que podaba los arbustos de la cerca. Abel lo saludó también con un movimiento de cabeza. Al llegar al echadero frente a la alberca, Abel descubrió que la cabeza calva que había visto hacía unos instantes desde el ventanal era la de un hombre viejo de piernas flacas y panza abultada, pellejuda, como una sábana de tripas cosidas con hilo de pita. Era don Rafael: la cara enrojecida por el sol y un rictus en la comisura. Don Rafael tenía la pierna y la mano derecha torcidas hacia dentro. Era hemipléjico. Babeaba. Levantaba la vista sin mover la cabeza, sesgadamente. Su expresión reflejaba dolor. Su cuerpo era un saco de levadura putrefacta. Abel extendió la mano y lo saludó esbozando una sonrisa de gusto. Me alegra conocerle, don Rafael. Oyha, ayi chanbien. Don Rafael no podía modular palabra. Tenía la voz ronca, taponada en la garganta. La voz rota. Babeaba. Era hemipléjico. Este joven viene a hacerte compañía, papá, dijo doña Concepción sobándole la nuca a don Rafael. Ehm, ehm, diría intentando decir bien bien, tal vez. Una muchacha de la edad de Abel apareció en la escena de pronto. Le dio un beso al anciano en la mejilla y después pidió a doña Concepción las llaves de la camioneta. Me dijeron que ya podía pasar por el mueble, dijo. Las miradas de Abel y la muchacha se cruzaron un instante que fue de pájaro que pasa volando. Nos ayudará con tu abuelo, nena, dijo doña Concepción a manera de presentación y en voz baja, como para que no escuchara don Rafael. Qué tal, contestó la muchacha. Hola, qué tal, dijo Abel. La muchacha regresó corriendo por donde vino. Ahora le digo a Manoli que venga a ponerte la crema, papá. Doña Concepción hizo una seña con el ojo y Abel fue tras ella. Sentados en la sala, doña Concepción explicó a Abel en qué consistiría su trabajo. Es muy simple, pero se necesita de una mano fuerte, y como aquí somos puras mujeres... No se preocupe, señora. Don Rafael no podía estar en una misma posición por más de tres horas, porque corría el riesgo de sufrir rozaduras en la piel, que después traerían consecuencias lamentables, debido a la delicadeza de su mal. De manera que hay que moverlo de una silla de reposo a otra cada determinado tiempo. Al principio el trabajo lo podían hacer entre la hija y la nieta, pero de unos meses para acá eso ha sido prácticamente imposible. Pese a las prescripciones del médico y a la dieta que le han dado, don Rafael ha subido mucho de peso. Es prácticamente una res echada. Por eso necesitamos un joven fuerte que nos ayude, como usted. Muchas gracias, señora. Y más si viene recomendado por Macedonio, que ha sido un miembro más de la familia. Mi marido incluso lo quiere como a un hermano. Eso me alegra mucho, señora. Doña Concepción explicó a Abel la rutina diaria, con excepción de los domingos, que venía un enfermero del Seguro Social a hacer la labor. Por lo demás, había que vestir a su padre en la mañana, levantarlo, subirlo a la silla de ruedas y llevarlo a la sala de estar para dejarlo ver un poco de televisión. Luego, algunas tres horas después, deberá moverse al sofá azul, asegurándose que los cojines queden debidamente acomodados con el fin de evitar que algún pliegue le produzca irritación en la piel. Antes de sentarlo no debes olvidar, hijo, embadurnarle crema en las sentaderas y en la espalda. A las tres o cuatro horas después, tú más o menos calculas, debe cambiarse otra vez. Y otra vez lo mismo: asegúrate de ponerle crema en las sentaderas y la espalda. Mi papá te dirá si quiere seguir viendo el televisor, si prefiere darse un baño de sol, nada más no olvides refregarle el bloqueador solar, o hacer cualquier otra cosa. Tú haz lo que él te indique. Así hasta el final del día, que para él termina alrededor de las ocho de la noche. Abel escuchaba con atención. No veía los ojos de la mujer, sino sus labios, rojos y voluminosos. De vez en cuando voltea-ba hacia el ventanal y detenía la vista en la cabeza rapada que salía por encima del echadero. Con tres o cuatro pelos nomás espolvoreados. Ya sabía lo que había pasando ese cerco de cabeza pelona que era. Había un muerto vivien-te. Un bulto. No le daban ñáñaras en realidad, sino asco. Un asco de vomitarse. Pero se lo aguantaría. No tenía otro remedio. Abel Corona aprovechó un espacio de silencio para decirle a la mujer que, aunque tenía libertad de salir y volver a las horas indicadas, lo que implicaba vivir en una casa aparte, él quería saber si no tendrían en la casa una habitación de sobra. Algo modesto cuya renta pudiera des-contársele de su sueldo. Es que no soy de aquí, señora. Do-ña Concepción Delgado dijo pero cómo no, pero cómo no, y sacudió la cabeza. Abel agradeció nuevamente. Tenemos una habitación al lado de la habitación de Tita, mi hermana. Si la ves y te apetece, ahí puedes quedarte. Abel se mostró otra vez satisfecho con las indulgencias de la mujer.

Don Raúl Caraballo era el dueño de la tabacalera Na-yarita S.A, única empresa que ofrecía a los pobladores de Villa Hidalgo un trabajo digno, con prestaciones y vaca-ciones pagadas. El pueblo giraba alrededor de la tabacale-ra, como las moscas giran alrededor de la mierda. Abel cayó en la cuenta de que hasta en eso se parecía Sabinas Hidalgo a Villa Hidalgo. No sólo era una relación topo-nímica sino socionímica, pensó. Mientras allá eran los Robles, familia pudiente como no creía encontrarla en ningún otro sitio, aquí, en Villa Hidalgo, eran los Caraballo. Y así seguramente, intentaba deducir, sería en otras partes del país. El país propiedad de los Robles, de los Caraballo, quizá de los Martínez o de los Pérez. El país sitiado por unas cuantas manos hábiles a la hora de distribuirse las tierras. La tabacalera Nayarita S.A fue una empresa fundada por el padre de don Raúl Caraballo, quien no hacía mucho había muerto en el baño de su casa. Una muerte babosa, diría don Raúl: el hombre se resbaló mientras se jabonaba algún pie y su cabeza fue a demolerse contra la llave de agua. Lo que encontraron fue una tina llena de sangre recién hervida. Y un hombre con la expresión de querer decir algo antes de morir. Algo como: ya me llevó la chingada. El patriarca Caraballo murió y los hijos heredaron de él una fortuna colosal. Una vez muerto el tronco del árbol genealógico, las ramas se repartieron las hojas. A don Raúl le tocaría la tabacalera Nayarita S.A y unos ranchos localizados en Tecomán, que administraba un hijo de don Macedonio Herrera. Don Raúl era un hombre de pelo cano peinado hacia atrás con gomina. Hombre de brazos fuertes y manos venudas. Su expresión reflejaba mundo, inteligencia. Era un hombre interesante. A Abel le gustó el prototipo. Don Raúl fumaba puro y leía el periódico bebiendo café. Usaba una loción fresca, que daba la impresión de haber salido recientemente de la ducha. Su boca olorosa a cigarro se mezclaba con esa loción expidiendo un aura aromática pegajosa, persistente. Casi no hablaba con la servidumbre. La servidumbre, de hecho, conocía sus hábitos, que eran muy precisos. Café por la mañana, cuando estaba en casa, huevos con yema a medio cocer, jugo de naranja, pan tostado con mantequilla, fruta del día. El periódico debía estar en la mesa invariablemente y los anteojos sobre él. Por la tarde, para ver el televisor, utilizaba una almohada especial. De manera que, terminando la comida, cuando estaba en casa porque sus viajes eran constantes, la almohada debía estar debidamente colocada en el sofá frente al televisor. Don Raúl Caraballo caminaba por la casa con la mente puesta en otra parte, aunque todo lo veía. Aun cuando fuera pensando siempre en algo, nunca mostraba preocupación. Su carácter era más bien templado, apacible. Un francotirador que mide su blanco con precisión. Ni un número debía faltar ni un número sobrar en el mapa de sus perspectivas. Las planteras de tabaco y los hornos estaban funcionando bien, lo que tenía contentas a las cigarreras La moderna y Águila, con quienes tenía contrato de exclusividad. Don Raúl era un hombre satisfecho, con los zapatos bien clavados en el suelo. No podría saberse si era generoso porque tenía de sobra o si había llegado a tener de sobra porque era generoso. Hombre sensible, suspicaz, el día que conoció a Abel se dio cuenta de que el tal muchacho no era un desarraigado. Supo desde un principio que detrás de Abel Corona había un pasado diferente, aunque cortado de tajo abruptamente. Estaba aquí por equivocación, porque en su ropa, su forma de comer y en su manera de responder sí o no, se notaba cierta distinción.

Abel pensó que no había llegado al lugar equivocado. Empujando la silla de ruedas de don Rafael, se sentía por primera vez fuera de su casa como en su casa. Don Rafael lo guiaba con la mano izquierda, con poca movilidad. Levantaba el dedo para indicar que siguiera derecho o lo movía hacia un lado o hacia otro para indicar que girara hacia un lado o hacia el otro. Dos palmaditas significaban detenerse. Don Rafael pesaba como un toro. Era un toro sentado. Abel tuvo que aprender a permanecer con la espalda recta y hacer fuerza sólo con los pies para conseguir levantarlo sin lesionarse. Lo que menos le gustaba era vestirlo. Cambiarle el calzón de manga larga que usaba. Verle los huevos arrugados e inservibles. La caja torácica enorme, como de sapo a punto de reventar. La mano torcida. Sumido en la habitación oscura, con un olor patético a medicina. Pero poco a poco se iría acostumbrando, cuando ya entre don Rafael y él se estableciera un conciliábulo. En varias ocasiones vio caer lagrimones de sus ojos frente al televisor. Unos goterones surcándole las mejillas. Era debido a las imágenes trágicas que de pronto aparecían en la pantalla y que Manoli no tenía la delicadeza de evitarle. La mirada de don Rafael era tristísima, pero Abel pronto descubrió que había algo que la hacía brillar como a un diamante: las mujeres. Abel hablaba de mujeres imaginarias con don Rafael. De conquistas inventadas de las que Abel salía indemne, unas veces, y raspadísimo, otras. Mujeres rubias, altas, chaparras, morenas, tontas, inteligentes, pero sobre todo nalgonas y tetonas, que era como le gustaban a don Rafael. El viejo se alegraba con las historias que Abel le contaba. Lo hacía de espaldas a la servidumbre y a escondidas de los familiares. Ehg an echreo enhreh uh ei o, decía don Rafael intentado decir que era un secreto entre él y Abel. No, don Rafael, la vieja esa que me agarré el otro día en el baile, ay mamá. Don Rafael profería una expresión de regocijo. Unas nalgas duras como dos campanas, don Rafael. Primero estuvimos bailando quebraditas, puras perronas. Abel se acercaba al oído de don Rafael, que se inclinaba un poco para escuchar mejor. Luego, don Rafael, la hice que se bebiera varios chíngueres. Y la muchacha recabrona topaba bien, don Rafael. Tenía garganta de resumidero.

Le entraba todito, don Rafael. Don Rafael se emociona-
ba. Don Rafael estiraba la comisura. Movía el dedo don
Rafael pidiendo que Abel no detuviera la historia. Pues
ahí mismo, don Rafael, dije: si la gallina es mía, pa qué la
ando correteando tanto. Así que le empecé a meter mano.
Una mano, primero, y luego la otra, don Rafael. Y la
muchacha topaba. Rebién que topaba. Hasta se ponía sua-
vecita, como un telar de seda. Buenas pechugas tenía la
muchacha. Puntiagudas avistando nubes. *¿I e a ojiste?*, preguntó don Rafael queriendo llegar desesperadamente al
final de la historia. ¿Qué si me la cogí, don Rafael? Me
la cogí y bien que me la cogí, hasta por el lagrimal se la
metí. Parecía yo una metralleta asesina. Una bazuca multi-
homicida. Don Rafael se estremecía de gusto. Se atosigaba
de puro placentero que estaba. Golpeteaba la silla con la
palma de la mano como si estuviera en realidad golpeando
un tambor africano. Me la llevé allá por los rumbos del
Tuchi, cerca de la plaza de toros. Un taxi nos dejó ahí.
Eran las dos de la madrugada. Oscuro que no se veía ni un
alma. Nos metimos en una caballeriza y ahí que le doy su
domingo y su día festivo, mi don Rafael. A la muchacha
nomás se le aborregaban los ojitos. Te quiero, me decía. Te
quiero, Kalimán. Abel se echó hacia atrás imaginariamen-
te, mientras veía la expresión de regocijo de don Rafael,
que no paraba de reír, y sintió tristeza por el hombre que
tenía enfrente. Vio de pronto los saldos que deja el tiempo.
Este hombre que no ha mucho caminaba erguido por la
calle, subiendo y bajando banquetas con agilidad, soste-
niendo el mundo en una mano, siendo padre de cinco y
amante de más de tres, hombre que se perdía de borracho y
podía viajar tres días con sus noches sin siquiera pegar los
párpados un instante, hombre que podía llevar en hombros

de una orilla a otra de la casa un enorme televisor o podía, al menos, servirse agua fresca de una jarra o un galón, y que podía, además, correr para alcanzar un autobús o un taxi, o correr simplemente sin tener que alcanzar a nadie sino sólo para llegar a algún destino, cuando hubiera, ese hombre ahora está (y lo está viendo Abel Corona) postrado en una silla de ruedas. Es un bulto o un saco de papas. No pasaría nada si alguien lo metiera en una bolsa negra y lo arrojara a la basura. O si alguien, un día que estuviera sentado en su silla al borde de la piscina, lo empujara un poco hacia el abismo de agua. Lo empujara y después se asomara para verlo hundirse sin esforzarse por salir a la superficie, debido al bulto inerte o saco de papas que es, porque un bulto inerte o un saco de papas no son en realidad nada y nada pueden hacer para salir a la superficie nunca. Un bulto inerte o un saco de papas como es don Rafael son eso nada más. No sirven ni ayudan en nada en una casa como lo es la casa de los Caraballo. No es un florero traído de Tlaquepaque. O un refrigerador con congeladora incluida. O un comedor de caoba o cedro. O la camioneta de la nena, grande y de llantas anchas, que lleva y trae a la nena al baile o a la universidad. Un bulto inerte o un saco de papas como es don Rafael es más bien un estorbo, una piedra en el zapato, un montón de escombros sobre una alfombra roja.

Abel Corona ha acostado a don Rafael en su cama y ha vuelto a su habitación. La nena lo ha invitado a salir a cenar, y la mamá ha insistido un poco también, pero Abel ha preferido quedarse echado en la cama. Estiró la mano y encendió la luz de la lámpara. La habitación se parece a su habitación. Ha girado la cabeza en busca de la cama de su hermano Bulmaro, pero en su lugar ha visto una mecedora y una mesita con un florero. En el florero, contrario a lo que sucede en las telenovelas, no hay una flor. Es un florero sin flor. Se ríe consigo mismo de las conversaciones que ha tenido últimamente con don Rafael. Sin darse cuenta, se ha ido sintiendo parte de la familia. Lo notó un día que se levantó entre la noche y abrió el refrigerador sin cerciorarse de que lo estuvieran viendo. Lo abrió como si fuera el suyo propio. El de su casa. Y sacó la litrona de leche y llenó un vaso hasta su borde. Abrió y cerró el refrigerador y luego fue bebiendo la leche por el corredor. Se detuvo un instante frente al ventanal de la sala y luego se echó en el mismo sofá de don Raúl. Lo sintió cómodo, suyo. Abel se reía consigo mismo. Estuvo rayoneando su libreta negra de pasta dura. Escribiendo sin escribir porque no podía evitar pensar en que hay personas en el mundo que pueden hacer toda la vida lo que él estaba haciendo. Hombres o mujeres dedicados de cuerpo entero, toda su entera vida, a una misma labor. Abel Corona pensaba que en él eso era impensable, porque su vida era, al final de cuentas, un eco de muchas vidas. Un río hecho de muchos ríos. La frase no le gusta mucho y le cruza una línea negra en el medio. Luego cierra la libreta y la guarda en el cajón del buró. Sin darse cuenta, se queda dormido sin apagar la lámpara.

La tía Tita da tres tumbazos en la puerta al pasar y grita: ya levántate, huevón. Y sigue su camino. Abel da un brinco pensando que se ha hecho tarde, pero en su reloj dan apenas las seis menos cuarto. Se enfunda los pantalones y aprovecha para salir a dar un paseo por el pueblo. Por el pasillo escucha que la tía Tita va despotricando contra Mary su hija, quien se le mete por un ojo y le sale por el otro y no la deja dormir. Muchacha malcriada, espeta dando manotazos en el aire. La tía Tita es hermana de doña Concepción Delgado y se vino a vivir con los Caraballo el mismo día que don Rafael, quien no podía hacerse cargo más de ella. Cuando Abel sale de la casa, descubre al fondo de la calle una delgada claridad que se extiende hasta las faldas del cerro. No es posible confundir las mañanas en los pueblos, piensa mientras avanza por la calle casi desierta. Contrario a las grandes ciudades, en los pueblos la gente pasa de una acera a otra sin alterar la suavidad de tal claridad. Flota en el aire. Abel camina sin prisa, como buscando algo en el interior de las casas de adobe. Al llegar a la iglesia dobla hacia el mercadillo y al pasar por la calle empedrada alcanza a atisbar, a lo lejos, la figura de doña Concepción Delgado, quien platica con un hombre metido en el umbral de la puerta y del que sólo puede verse la silueta. Se detiene un instante y aguza la vista. Es don Macedonio Herrera. Intenta acercarse, pero cae en la red de un mal presentimiento. Regresa los pasos y retoma el camino hacia el mercadillo, llevando en la mente la imagen de doña Concepción Delgado y don Macedonio Herrera. Entra al mercadillo por la puerta frontal y se abre paso entre los puestos de comida y las juguerías, que despiertan siempre antes de que el gallo cante. Lo que más le gusta es el canasto de pan dulce y bolillo caliente. Se acerca y pide a la niña cinco tiras de bolillo y seis panes. La niña los envuelve en un papel y los mete en una bolsa de plástico. Gracias, mija, dice Abel Corona. La niña contesta con un gesto. Al dar la media vuelta, la mirada de Abel se posa sobre un cazo donde se fríen chicharrones. El olor lo transporta. Como estas mañanas eran las mañanas de Sabinas Hidalgo: mañanas donde parece no pasar nada y donde los habitantes no son habitantes sino fantasmas, seres que pudieran atravesar paredes de escuelas o iglesias como si atravesaran el agua. Abel sale otra vez a la calle y dobla hacia la derecha. Unos pasos adelante se detiene en un puesto ambulante. Ve colgadas en la malla metálica fotografías de artistas famosas, algunas en bikini tomando el sol sobre la arena de la playa y otras apoyadas en el capacete de un auto deportivo o en un cancel de enredaderas. Pregunta por el costo y compra una de ellas, esa donde aparece una mujer morena mostrando más allá del escote, con su pelo largo lacio hasta la cintura. La mujer mira a su espectador profiriendo una agradable sonrisa. Abel la guarda en la bolsa de su camisa y continúa su camino. Cuando llega a la casa encuentra en el comedor a Doña Concepción y a la nena desayunando. La nena mira cada movimiento de Abel con cierta delectación. Buenos días, dice Abel dejando la bolsa de pan sobre la mesa. ¿Y esto?, pregunta la nena. Hace un rato fui al mercadillo y pensé que les caería bien un bolillo recién salido del horno. Doña Concepción se muestra nerviosa. Soba el mantel con la palma de la mano y luego mira a Abel sin atreverse a decir lo que su pensamiento le dicta. Me he encontrado con... Mi padre ya se ha levantado y está esperándote, Abel, lo interrumpe doña Concepción. Ah, voy para allá, señora. Abel corta un pedazo al bolillo y se lo va comiendo mientras se dirige a la habitación de don Rafael. Toca antes de entrar, como de costumbre. La tía Tita, que pasa en ese momento por el pasillo, va diciéndole a Mary su hija que es una burra y una malcriada. Ándele, da nalgadas al aire. Enjha, dice don Rafael. Abel entra y enciende el interruptor de luz. Acomoda la silla junto a la cama y carga en peso a don Rafael, apoltronándolo poco a poco en el asiento. Mire lo que le he traído, don Rafael. Abel saca la fotografía de la muchacha escultural. Don Rafael pela los ojos. Como puede, coge la fotografía con la mano sana y la contempla unos segundos. E agüeo, dice con los ojos rasados intentando decir que se acuerda. Para evitar producirle más tristezas a don Rafael, Abel empuja la silla y sale al pasillo. Cuando apenas pone el seguro de las ruedas, la nena llega corriendo y le pide a Abel que si por favor puede acompañarla a recoger el automóvil de don Raúl al taller mecánico. Mi padre vuelve mañana y queremos tenérselo listo para cuando llegue, dijo buscando que Abel no pudiera negarse. Tratándose de don Raúl, vamos. Al rato nos vemos, don Rafael. Abel emprende el camino. Don Rafael mueve la mano sana diciendo que les vaya bien. La nena es una muchacha un par de años más joven que Abel. Es la única hija de don Raúl, aunque se dice que con su primera mujer tuvo dos hijas más, hoy casadas y con hijos. La nena es una muchacha calzonuda pero blanda de piel y Abel llegó a percibir desde un principio que doña Concepción Delgado metía el hombro por ella. Eran suposiciones, obviamente, porque nadie sabe en realidad cuáles son las verdaderas intenciones de una madre para con su hija. Por lo pronto, Abel va montado en la camioneta de tracción mirando las piernas blancas y vellitos güeros de la nena. Es linda la muchacha, viéndolo bien. Tiene los labios gruesos como su madre y la frente ancha y despejada. La dejan hacer lo que se le venga en gana, y como don Raúl pasa breves temporadas por aquí y breves temporadas por allá, siempre atendiendo negocios y resolviendo problemas, la nena es la ama y señora de la casa. La única camioneta que sobresale en el pueblo es la que la nena maneja. Ir ella cruzando la calle empedrada es igual que ir un cisne cruzando un pantano. La nena es un ave que cruza el pantano sin mancharse, sin duda. Abel no pudo evitar pensar, otra vez, cómo sería su vida al lado de ella, pero esta vez reprime el pensamiento porque se da cuenta que una mujer como la nena es en realidad una puerta al infierno. Quisiera ir a Mazatlán este fin de semana, dice la nena mientras saca un cigarrillo de la bolsa. Ah, sí, contesta Abel cogiendo las cerillas para encendérselo. La nena invita un cigarrillo a Abel y Abel lo acepta. No le vayas a decir a mi madre y mucho menos a mi padre que fumo, eh. No te preocupes, vuelve a contestar Abel. Bueno. La nena roza la pierna de Abel. Bueno, repite. Ni tú se lo vayas a decir tampoco, acota Abel Corona. Ni se te ocurra decirme que te da pena. Sí, con tu madre y tu padre me da un poco de pena. Pues sí, vuelve la nena, quiero ir a Mazatlán pero no tengo quién me acompañe, ¿cómo ves? No te lo creo, dice Abel no dándose por aludido. Al llegar al taller mecánico, Abel desciende de la camioneta y va a la oficina a preguntar si ya está listo el auto de don Raúl. El mecánico, un hombre chaparrito de bigote grande, le contesta que sí y le entrega las llaves. ¿Se le debe algo?, pregunta Abel. No, dice el mecánico, todo está cubierto. Abel sube al auto y sale del taller echando de reversa. Coge la calle hacia la izquierda y avanza a baja velocidad, acomodando su cuerpo en la moldura del asiento. La gente que va y viene lo mira con curiosidad, intentando distinguir la procedencia del conductor. ¿Será el hijo o el sobrino de don Raúl? ¿Será el nuevo gerente de la tabacalera Nayarita S.A.? ¿El novio de la nena? Algunos mirones se detienen incluso para seguir su trayectoria, relacionando sus rasgos faciales con otras anatomías para intentar establecer lazos sociales o de parentesco. Abel conduce por el empedrado de la avenida principal a baja velocidad. Suena en la casetera una canción de Los Yonics, la misma que le escuchara cantar a Roberto Alanís el día que llegaron a Saltillo. *Pero te vas a arrepentir/cuando veas que no es nada/tu riqueza comparada/con todo lo que te di*. Abel no puede evitar sentir que viene de Puerto Vallarta y va hacia Mazatlán montado en un tráiler como el de Roberto Alanís. No es el auto de don Raúl Caraballo sino un tráiler Kenworth rojo con un letrero en la visera que dice "The king of the road". Rodea el enorme volante con ambas manos, lo acaricia como si se tratara de una piel de mujer y siente la fuerza del motor mientras presiona el acelerador. Porque Abel Corona, en lugar de haber girado en la calle que conduce a la casa de los Caraballo, la misma calle que entronca con la iglesia del pueblo, ha continuado recto por la avenida empedrada y ha seguido hacia la cinta asfáltica de la carretera. Abel Corona sigue presionando el acelerador. Ha pasado la lechería San Juan y el torno de don Lupe Ceballos, la gasolinera de las Patrón y la vieja hacienda. Imágenes presentes van fundiéndose con imágenes imaginarias y poco a poco la realidad, reflejada en el parabrisas y en sus ojos, se va transformando en un planetario de símbolos insondables. El tráiler que conduce Abel ha dejado el pueblo atrás y ha seguido avanzando sobre la carretera, devorando casas, árboles, carretas, cobertizos, gallineros, molinos, tabacaleras. Abel Corona es capaz de sentir en el rostro el viento que entra por la ventanilla, un viento que lo levanta y lo suspende en el aire o en la nada y luego lo deja caer otra vez, como a una hoja otoñal. Piensa un instante en la silla de ruedas de don Rafael y sobre ese pensamiento se empalma la figura de su madre inclinada sobre la pileta sin agua en el fondo de la casa. Abel intenta detener la marcha súbitamente, porque a veces vivir, lo ha escuchado en algún sitio, es detener la marcha súbitamente, pero en lugar de eso sube la palanca de velocidades y presiona hasta el fondo el acelerador. Y aunque se ve que a lo lejos el camino se angosta, hundiéndose en un barranco sin fondo, con las orillas echadas hacia fuera, Abel Corona acelera. Sigue acelerando.

Conducir un trailer, de Rogelio Guedea
se terminó de imprimir en junio del 2008 en
Litográfica Ingramex, S.A. de C.V.
Centeno 162-1, Col. Granjas Esmeralda,
México, D.F.